D1239393

LA LÉGENDE NAPOLÉONIENNE

BIBLIOTHÈQVE NATIONALE

LA LÉGENDE NAPOLÉONIENNE

1796 - 1900

PARIS
1969

Le catalogue a été rédigé par M. Jean Adhémar, conservateur en chef du Cabinet des Estampes et par Mlle Nicole Villa, conservateur du Cabinet des Estampes. Mise en page de M. Lucien Louvegnies. La décoration a été conçue par M. Michel Brunet et exécutée par les Ateliers de la Bibliothèque Nationale.

© BIBLIOTHÈQVE NATIONALE, PARIS, 1969

*E*N cette année 1969, qui marque le deuxième centenaire de la naissance de Napoléon, et durant laquelle tant de livres et d'articles ont été publiés qui célèbrent sa mémoire, la Bibliothèque nationale a tenu, pour sa part, à s'associer à ces manifestations et à présenter une exposition sur la Légende napoléonienne : une exposition qui ne montre pas forcément l'Empereur tel qu'il fût, mais tel qu'il a souhaité paraître ou tel que les hommes l'ont vu, de son vivant ou depuis sa mort, avec tout ce que le recul du temps, l'imagination des foules et le penchant inné des masses pour le merveilleux a pu ajouter de rêve à une réalité déjà prodigieuse.

La plupart des commentateurs font remonter l'origine de la Légende au départ de Napoléon pour Sainte-Hélène, ou mieux encore à l'élaboration du Mémorial et à la publication des premiers écrits, apocryphes ou non, partis notamment du grand duché de Bade, où Las Cases, rentré en Europe, était venu se réfugier.

En fait, cette Légende a commencé à prendre forme au moment même où Bonaparte a été investi par le Directoire de larges pouvoirs, c'est-à-dire durant la campagne d'Italie. A une époque où l'insuffisance des moyens de communication facilitait l'éclosion et la persistance des rumeurs, elle n'a cessé d'entourer comme d'un halo la personnalité du Petit Caporal.

Le premier auteur de la Légende napoléonienne fut en fait Napoléon lui-même. Car s'il fut un grand stratège et un incomparable manieur d'hommes, il fut aussi, à n'en point douter, un grand metteur en scène et un grand orchestrateur des évènements.

I

Il sut, dans ce domaine, utiliser à son profit les instruments d'information du public. En France même, il acquiert peu à peu un contrôle presque total de la presse politique, réduite en 1800 à 13 journaux, auxquels l'officieux MONITEUR UNIVERSEL donne le ton. La censure sur les livres et sur les pièces de théâtre n'est pas moins stricte. Napoléon n'aimait pas les journalistes, mais il devinait le rôle croissant de cette puissance nouvelle à laquelle, selon lui, rien ne résistait. Que ce soit en Italie ou en Egypte, (et plus tard en Allemagne ou en Autriche), il crée, dès son arrivée, des journaux dont il envoie des exemplaires en France. Ces journaux sont destinés à soutenir le moral des Français ou de leurs alliés, et parfois à abuser l'ennemi. Mais ils permettent aussi à Bonaparte de fixer, pour le présent et pour l'avenir, l'image que l'on doit avoir de lui.

La presse emprunte beaucoup aux BULLETINS DE LA GRANDE ARMÉE, dans lesquels sont décrits les mouvements des troupes, reproduits les proclamations ou les ordres du jour. Ces BULLETINS font du vainqueur d'Austerlitz un portrait sans retouche. L'Empereur est toujours au milieu de ses hommes ; il connaît chacun d'eux, dit à chacun son mot. Il est partout où sa présence est nécessaire. Il passe avec la rapidité de l'éclair. Il retourne une situation en un moment, ressaisit la victoire aux instants les plus critiques par des opérations rapides et imprévues. La guerre lui est imposée par l'ennemi ; mais il est miséricordieux, ménager des vies humaines. Il est adoré de ses troupes qui l'acclament en chargeant. Ses soldats, que la gloire a comblés, diront un jour avec orgueil qu'ils étaient à Lodi, à Austerlitz, à Moscou.

L'Empereur veille lui-même à ce que les historiographes reconstituent dans le détail le récit des batailles. Dès les campagnes d'Italie, une impulsion nouvelle est donnée à un cabinet, modestement qualifié d'historique et topographique du Dépôt de la Guerre, où sont réunis les documents, sollicités les témoignages, reçues les instructions précises qui vont jusqu'à spécifier aux aquarellistes le nombre de centimètres qu'ils doivent réserver, dans leur œuvre, à chacun des personnages. Marcel Reinhard a ainsi montré comment avaient été transformés peu à peu dans ce bureau les récits de la bataille dite d'Arcole, qui ne fut pas, semble-t-il, remportée à Arcole même, et qui dura trois jours.

L'image joue, elle aussi, un rôle essentiel dans la formation de la Légende. Comme l'a bien indiqué Pierre Lelièvre dans son livre sur Vivant Denon, Directeur des Beaux-Arts de Napoléon, l'Empereur souhaitait "tourner les arts vers des sujets nationaux." Ses préoccupations étaient essentiellement politiques. Pour les commandes de l'Etat, le choix des thèmes l'intéressait plus que celui des artistes.

Les portraits que les peintres nous ont laissés de lui sont nombreux. (De 1800 à 1812 seulement plus de quatre-vingt d'entre eux furent exposés au Salon). Une impression de calme et de majesté en émane. Quand David le peint dans son cabinet de travail, il le représente la main sur le Code Civil. Les "Pestiférés de Jaffa" doivent témoigner de son courage et de la protection surnaturelle dont il jouit. Chateaubriand s'indigne de cette

II

propagande. "Ce n'était pas tout, dit-il, que de mentir aux oreilles, il fallait mentir aux yeux... Napoléon touche les pestiférés de Jaffa, et il ne les a jamais touchés ; il traverse le Saint-Bernard sur un cheval fougueux dans des tourbillons de neige, et il faisait le plus beau temps du monde". Mais l'auteur des Mémoires d'Outre-tombe n'en était pas lui-même à une inexactitude près.

Les gravures populaires atteignaient de leur côté un public chaleureux et vaste. Ces images célèbrent parfois les grandes manifestations impériales, comme la remise des Légions d'Honneur au Camp de Boulogne. Mais elles sont surtout destinées (et les visiteurs en verront un grand nombre) à faire ressortir la simplicité du souverain et son comportement démocratique : tel est le cas par exemple de "Napoléon et la mère du grenadier" ou de "Napoléon et la sentinelle endormie" (dont l'Empereur était le premier à sourire, car, disait-il, il ne viendrait jamais à l'esprit d'un chef militaire de remplacer lui-même une sentinelle qui dort). Ces illustrations familières, que M. Adhémar, conservateur en chef du Cabinet des Estampes et sa collaboratrice, Mademoiselle Villa, ont réussi à dater, sont nombreuses à partir de 1804 ; elles ont plus aidé à la naissance de la Légende que ne l'ont fait les journaux ou les chefs-d'œuvre des musées.

La presse, les historiographes, les artistes, les écrivains, n'ont pas seulement exalté en la personne de l'Empereur, le génie inégalé du conquérant, mais encore celui, non moins exceptionnel, de l'homme d'Etat, du réformateur, doté d'une puissance de travail prodigieuse, d'une vision claire et pénétrante des évènements. Mais les thèmes ont varié selon les époques. Durant les années de victoires, il était surtout question de la gloire du héros. A l'heure des revers, quand le recrutement des soldats se fit plus difficile, l'accent fut mis davantage sur les qualités humaines du chef et sur l'amour que lui portaient les humbles.

Grâce aux écoles et à l'Université récemment créées, l'Empereur souhaitait enfin s'assurer le dévouement des jeunes, c'est-à-dire de la France future. Le décret de mars 1808 pose notamment, comme base de l'enseignement dans les Ecoles de l'Université, "la fidélité à l'Empereur, à la monarchie impériale, dépositaire du bonheur des peuples et à la dynastie napoléonienne, conservatrice de l'unité de la France et de toutes les idées libérales proclamées par la Constitution."

Lorsque Napoléon quitte la France pour n'y plus revenir, la Légende existe déjà, solidement ancrée dans l'esprit de la plupart des Français.

Après Waterloo, et une fois connue la nouvelle du départ de l'Empereur, une sorte de stupéfaction s'empara de la France, qui s'était sentie toute entière engagée dans la grande aventure de son souverain.

Alors commence à se répandre dans le pays, spontanément sans doute, et dans les campagnes surtout, les rumeurs les plus étonnantes. L'Empereur n'est pas parti ; il attend

III

son heure. L'Empereur a réussi à s'évader ; il va revenir ; il vient des Etats-Unis avec la flotte américaine ; il arrive par le Piémont avec le prince Eugène. On signale sa présence dans un village de l'Isère, en Normandie, à Lyon. L'idée que le souverain, récemment encore le plus puissant du monde, est maintenant en exil dans une île lointaine, séparé de son seul enfant, paraît inconcevable ; et le public croit à son retour.

Les anciens soldats des guerres napoléoniennes font entendre leur voix dans ce concert d'espérances. L'on a quelquefois douté de leur rôle. On a calculé qu'en 1815, il n'y avait que 20.000 officiers en demi solde et 5.000 seulement en 1823. Mais des hommes décidés, même relativement peu nombreux, peuvent exercer sur l'opinion une influence décisive. Et les vétérans de la grande armée étaient plusieurs centaines de milliers. Ceux qui avaient combattu à Waterloo furent regroupés, notamment au Sud de la Loire, puis dispersés et licenciés. Certains avaient pris les devants, qui avaient refusé d'arborer la cocarde blanche. La plupart revinrent silencieux, dignes, peu enclins aux confidences, mais gardant profondément gravé au fond du cœur le souvenir de leur gloire, et prêts à s'insurger contre le régime au pouvoir.

Dans son livre très nourri sur le Culte de Napoléon, Lucas-Dubreton montre comment les alliés, dont l'occupation se prolonge, et les gouvernements français qui fraternisent avec eux, se font les artisans de cette religion nouvelle. L'exécution de Ney, l'assassinat de Brune et celui de La Bédoyère donnent au culte ses martyrs. Les avanies subies au profit des royalistes suscitent d'amers ressentiments. Dans les cafés du Palais-Royal ou du quai Voltaire, les demi-solde oisifs vitupèrent les royalistes. Le patriotisme déçu se nourrit de souvenirs. Des complots sans espoir, des insurrections sans lendemain se multiplient, qui mènent leurs inspirateurs à l'échafaud.

La nouvelle de la mort de Napoléon en 1821 ne change rien. "Après le despotisme de sa personne, déclarait Chateaubriand, il nous faut encore subir le despotisme de sa mémoire." Les estampes sont nombreuses qui montrent les grands conquérants du passé abaissant leurs lauriers devant le plus illustre capitaine des temps modernes ou qui mettent en scène les grognards rudes, fidèles, dévoués corps et âmes à l'Empereur. En 1815, la police était inquiète de voir que certaines de ces images étaient distribuées gratuitement. Mais il est inouï de penser que, depuis les débuts de la Restauration jusqu'aux années qui suivirent la mort de Napoléon, toute représentation du vainqueur d'Austerlitz fut en principe interdite. Le rôle de la chanson devient alors primordial. Bien avant que Béranger ne mette le patriotisme en couplets (et Jean Touchard l'a bien prouvé), Debreaux chante "le modeste petit chapeau et la redingote grise" et l'absence de préjugés de l'Empereur qui "fumait avec les soldats et mangeait leurs pommes de terre". Enfin les boutiques (et les visiteurs verront la reconstitution de l'une d'entre elles) vendent des estampes ou des objets plus ou moins clandestins, des tabatières, des boîtes, des breloques, des coquetiers avec le portrait de l'Empereur, des bretelles tricolores et jusqu'à des pommeaux de cannes, ou des cruchons de bière en forme de buste de Napoléon. La légende a pris racine ; et les marchands risquent la prison, qui exposent ou qui vendent ces objets dits séditieux.

IV

A partir de 1823, la publication du MÉMORIAL contribuera de façon décisive à fixer pour les générations à venir la Légende qui, elle-même, s'était imposée plus fortement encore au lendemain de Waterloo. Le MÉMORIAL fait de Napoléon l'héritier de la Révolution, celui qui en a maintenu les principes, tout en en canalisant le cours. L'Empereur a répandu dans toute l'Europe l'idée de la liberté et même, avec le Code civil, aidé à la respecter. Il a su briser les barrières sociales. Il a ramené la concorde entre les Français. Les Anglais ont seuls été responsables de la prolongation de la guerre : ils ne pouvaient supporter l'idée de voir la France donner à l'Europe une paix glorieuse.

En France même, le MÉMORIAL facilitera la tâche de ceux qui veulent utiliser la Légende à des fins politiques. Dès 1815, l'Acte Additionnel, préparé par Benjamin Constant, avait rapproché libéraux et bonapartistes. Malgré des désaccords fréquents, ils seront désormais unis par une même hostilité contre les Bourbons, un même attachement au drapeau tricolore, une même nostalgie de la victoire, un même vocabulaire hérité de la Révolution. Après la publication du MÉMORIAL, il devint plus facile d'admettre que Napoléon avait combattu pour la liberté. Et les Français acceptèrent d'autant plus aisément cette assertion qu'ils étaient avant tout attaché à l'abolition des privilèges dus à la naissance.

La Légende joua donc un rôle capital dans les Trois Glorieuses. Les sociétés secrètes, en majorité républicaines, comprenaient encore de nombreux officiers et sous-officiers bonapartistes. Le nom de Napoléon avait gardé toute sa magie : le roi Louis-Philippe, dès son accession au trône, chercha à en tirer avantage. En prêtant serment sur le drapeau tricolore, en réintégrant des Bonapartistes dans l'armée, il donnait satisfaction aux fidèles de l'Empereur. Il fit replacer la statue de Napoléon sur la colonne Vendôme. En 1836, l'Arc de Triomphe de l'Etoile était inauguré. Quatre ans plus tard un grand char doré, traîné par seize chevaux, traversait les Champs-Elysées et ramenait aux Invalides les cendres de l'Empereur. "C'est le peuple français qui vainquit et qui fut humilié en sa personne" dit Heine à cette occasion et c'est lui "qui, en sa personne, s'honore, se célèbre et se réhabilite lui-même". Jamais le nom de Napoléon ne fut acclamé avec plus d'enthousiasme.

Les nombreuses pièces de théâtre qui mettent alors en scène le héros de Iéna sont chaleureusement accueillies. Dans presque toutes les familles est conservé un sabre, une épaulette, une décoration qui a été gagnée sur un champ de bataille de l'Empire. Des collections rassemblent tout ce qui évoque la Grande armée, shakos, casques, uniformes, armes, tambours, sabretaches. Dans les villages, les vétérans égrènent des souvenirs fabuleux. Aux estampes sentimentales de Charlet succèdent celles plus dramatiques de Raffet. Les images d'Epinal qui portent sur des sujets impériaux sont de plus en plus répandues. Rude sculpte son Napoléon s'éveillant à l'immortalité. Tous les poètes romantiques, à l'exception de Lamartine, sont des chantres enthousiastes ou attendris de Napoléon. Aucun d'eux cependant ne peut alors rivaliser avec la gloire de Béranger : celui-ci sait exprimer, dans des chansons dont chaque couplet comporte une action, les espoirs et les regrets de la France bourgeoise et patriote. Béranger n'a pas créé la Légende ; mais il lui a donné un rayonnement nouveau : son nom et son influence ont été largement utilisés par les inspirateurs de la

V

révolution de Juillet et le seront, plus systématiquement encore, vingt ans plus tard, par Louis-Napoléon.

Le roi Louis-Philippe avait tenté de confisquer la gloire de l'Empire à son profit. Le nouveau prétendant, Louis-Napoléon, se l'approprie tout naturellement, comme un héritage familial. Son entrée en action rend à la Légende une actualité évidente. L'évocation du duc de Reichstadt exerçait sur l'esprit des Français un attrait romantique ; le fils de la reine Hortense cherche, pour sa part, à tirer de sa position tous les avantages pratiques. Ses premières actions, son raid sur Strasbourg, celui sur Boulogne, même son emprisonnement au fort de Ham ne sont pas pris très au sérieux. L'EXTINCTION DU PAUPÉRISME nuance en revanche la Légende de préoccupations sociales nouvelles. Napoléon avait déjà dit, pourtant, dans le MÉMORIAL "Je ne suis pas seulement l'empereur des soldats, je suis celui des paysans, des plébéiens de France". Et lorsque viennent les élections, quand la campagne se fait, dans des journaux au nom napoléonien, sur des thèmes du MÉMORIAL, c'est pour le Petit Caporal que la foule va voter.

Le Second Empire lui-même n'ajoutera pas grand chose à la Légende. A l'ombre de la gloire du vainqueur d'Austerlitz, le nouvel Empereur cherche à assurer sa propre gloire. Il combat au nom du principe des nationalités dont son oncle avait ébauché les contours. Après la naissance du prince impérial, il y eut désormais quatre Napoléon ; mais, soit que le peuple français fût moins remué par un nom qui, dans l'exercice quotidien du pouvoir, risquait de s'user, soit que le neveu ressentît quelque jalousie à l'égard des victoires de son oncle, la Légende, dans la deuxième moitié au moins du Second Empire, semble perdre de sa vertu magique. Paradoxalement, elle demeure beaucoup moins vivante à la fin de l'Empire, avant Sedan, qu'elle ne le sera sous la Troisième République. Le réveil nationaliste de la fin du XIXe siècle marque en effet, dans son histoire, une étape nouvelle. Avec Rostand et l'Aiglon, avec d'Esparbès et les demi-solde, avec Meissonier et Detaille, Caran d'Ache et même Toulouse-Lautrec, Napoléon est de nouveau présent.

Mais aujourd'hui, comme en réalité depuis un siècle, la Légende, c'est avant tout Victor Hugo. Comme la plupart des romantiques, Hugo était, dans ses débuts, légitimiste. Mais il était normal que le plus illustre des souverains de la France eût, pour le chanter, le plus célèbre de ses poètes. La carrière du Petit Caporal est faite de contrastes, comme la poésie de Victor Hugo d'antithèses : opposition entre la modestie des origines et l'incomparable grandeur de la renommée, entre une gloire sans égale et la plus vertigineuse des chutes. Le drame de l'Empereur est de ceux qui, des Tragiques grecs à Shakespeare, ont inspiré les plus grands poètes : celui de la Fatalité et du mystère de la Destinée. Ce drame, Napoléon l'a vécu intensément, et Hugo l'a célébré dans quelques-uns de ses plus beaux vers. Le temps a passé : mais aujourd'hui encore, et grâce à Hugo surtout, la Légende napoléonienne s'impose aux enfants des écoles. Elle est toujours vivante dans l'esprit des Français.

De nombreux prêteurs ont contribué au succès de cette présentation. Parmi eux, je tiens à remercier particulièrement LL. AA. II. le Prince et la Princesse Napoléon. S.A.R. La Princesse Eugénie de Grèce a bien voulu nous permettre d'utiliser la donation de son père le Prince Georges de Grèce, au Musée de la Malmaison, dont le conservateur, M. Gérard Hubert nous a été d'un secours constant. Le commandant Lachouque a accepté de nous prêter une partie de sa collection. L'Institut de France a consenti également à faire profiter la Bibliothèque nationale du riche fonds Frédéric Masson.

Je tiens enfin à féliciter très vivement le conservateur en chef du Cabinet des Estampes de la Bibliothèque nationale, Monsieur Jean Adhémar, qui, avec l'aide de Mademoiselle Nicole Villa, conservateur, a préparé cette très intéressante exposition, l'une des plus curieuses, à coup sûr de celles qui ont été organisées à l'occasion du bicentenaire de la naissance du plus célèbre des Français.

Etienne DENNERY

Administrateur général de la Bibliothèque nationale.

VII

LISTE DES PRÊTEURS

MUSÉES ET COLLECTIONS PUBLIQUES

ARCHIVES NATIONALES.
BIBLIOTHÈQUE DE L'INSTITUT DE FRANCE.
BIBLIOTHÈQUE THIERS.
MUSÉE CARNAVALET.
MUSÉE DE CHÂLON-sur-SAONE.
MUSÉE DE L'ARMÉE.
MUSÉE DES BEAUX-ARTS DE DIJON.
MUSÉE DU LOUVRE (Cabinet des Dessins et Département des Peintures).
MUSÉE FRÉDÉRIC MASSON.
MUSÉE NATIONAL DU CHÂTEAU DE MALMAISON.
MUSÉE NATIONAL DU CHÂTEAU DE VERSAILLES ET DES TRIANONS.
SERVICE D'ARCHIVES DE LA DRÔME.
SERVICE HISTORIQUE DE L'ARMÉE.
THÉÂTRE NATIONAL DE LA COMÉDIE-FRANCAISE.

COLLECTIONS PRIVÉES

L.L. A.A. I.I. LE PRINCE ET LA PRINCESSE NAPOLÉON.
Mme ALBERT-ROULHAC.
COMMANDANT LACHOUQUE.
M. Jean-François LEMAIRE.
M. Paul ROULLEAU.
Mme Georges VILLA.

DE BONAPARTE A NAPOLÉON

1796-1815

LE GÉNÉRAL EN CHEF DE L'ARMÉE D'ITALIE,

1796-1798.

C'est de la victoire d'Arcole (1796) que date l'organisation de la légende napoléo-nienne ; elle se développe au cours de la campagne d'Italie. Bonaparte la confie à un organisme officiel, le Dépôt de la Guerre, lequel publie des textes officiels. Cela permet à l'Empereur de dire, dans le MÉMORIAL : "C'est avec les pièces officielles que les gens sages écriront l'histoire. Or ces pièces sont pleines de moi, et ce sont elles que je sollicite et que j'invoque."

1à CRÉATION DE LA LÉGENDE DU PONT
7a. D'ARCOLE, 1796-1828.

La bataille d'Arcole ne fut, en réalité, qu'un demi-succès ; elle dura trois jours, les 15, 16 et 17 novembre 1796 ; l'épisode du pont eut lieu vraisemblablement le 16.
Bonaparte, avec 14 000 hommes battit 40 000 ennemis. Il annonça le prix de 5 000 hommes, 4 drapeaux et 18 canons. En 1806 on parlait officiellement de 8 000 prisonniers et 30 canons.

1. ANNONCE DE JEAN DE BRY AUX CINQ
CENTS, 25 NOVEMBRE 1796 :

"Les généraux Bonaparte et Augereau, voyant leurs troupes hésiter, saisirent chacun un drapeau, le plantèrent au milieu des bataillons ennemis, et la victoire fut décidée".

2. DESSIN AQUARELLÉ DE LAMBERT qui sera gravé par Chaponnier en 1798 : les deux généraux sur le pont d'Arcole. Le dessin aurait été exécuté "au moment de l'action".
— B.N., Est., Qb 1.

Les Cinq Cents remirent leur drapeau en souvenir à chacun des généraux ; celui d'Augereau semble le seul conservé.

3. AUGEREAU... relève l'étendard, et le plante à la tête du pont d'Arcole, chez Bonneville, rue Jacques n° 195, vers 1796. — B.N., Est., Qb 1.

Une autre gravure représente Augereau portant le drapeau. Dans un second état le nom d'Augereau est supprimé, et en 1828 il est remplacé par celui de Bonaparte.

4. LE GÉNÉRAL EN CHEF (BONAPARTE) PRENANT LUI-MÊME UN DE NOS DRAPEAUX, s'élança à la tête d'une de nos colonnes pour forcer la chaussée de la digue... Enfin, la colonne du général Guieux, ayant passé, décida de la victoire". Lettre de Berthier, chef d'état-major de Bonaparte, 16 nov. 1796.

5. "AUGEREAU, EMPOIGNANT UN DRA-PEAU, le porta jusqu'à l'extrémité du pont.., il resta là plusieurs minutes sans produire aucun effet... Je m'y portai moi-même, je demandai aux soldats s'ils étaient encore les vainqueurs de Lodi ; ma présence produisit sur les troupes un mouvement qui décida encore à tenter le passage."
Lettre de Bonaparte, 19 novembre 1796.

3

6. "BONAPARTE AU PONT D'ARCOLE" de Gros, gravure par Longhi, exécutée à Milan en 1798. − B.N., Est., Eb 47.

Le tableau est esquissé à Milan le 30 novembre 1796. Joséphine eut l'idée du drapeau, qui fixa la légende. La gravure, annoncée dans LE MONITEUR du 3 février 1799, se vendait en feuilles ou encadrée. Elle fut payée 250 louis à Longhi. Cuivre à la Chalcographie.
David avait été pressenti par Bonaparte qui l'attendait à Milan ; le peintre refusa, mais demanda un dessin représentant Lodi pour peindre un tableau (il ne le fera jamais).

7. "LA PEINTURE A DÉJÀ REPRÉSENTÉ BONAPARTE plantant un drapeau sur le pont d'Arcole et criant à ses soldats de l'aller reprendre", Bignat, 1797.

Dans le MÉMORIAL DE Ste HÉLÈNE, Napoléon raconte qu'après avoir placé le drapeau sur le pont, il fut entraîné dans la fuite de ses grenadiers, bien qu'en 1808 il ait assuré que "L'Empereur force le passage, prend l'ennemi à revers, et le met en pleine déroute."

7 a. "BONAPARTE AU PONT D'ARCOLE". Agrafe de bronze doré. - Au Musée Frédéric Masson (N° 884).

Bonaparte considérait Arcole comme une de ses plus grandes victoires, "c'était un chant de l'ILIADE", disait-il. Mais, disait-il encore, "je fais mon ILIADE en action, et tous les jours."

8. "BONAPARTE GÉNÉRAL EN CHEF de l'Armée d'Italie. *Dessiné d'après nature et gravé à Milan, 1796. Chez Frédéric Agnelli.* - B.N., Est., Collection Hennin, n° 14.103.

Bonaparte a fait à Milan son entrée triomphale le 15 mai 1796, il y revient du 26 novembre au 7 janvier 1797.

9. "LE GÉNÉRAL BONAPARTE" d'après Appiani l'aîné, Milan, 1797. − B.N., Est., N².

Le peintre était particulièrement estimé par Bonaparte et par ses contemporains. Il sera appelé à Paris en 1801, nommé Peintre de l'Empereur, fait Chevalier de la Légion d'Honneur. Dans son testament, Napoléon ordonne de réunir pour l'éducation de son fils chez Appiani à Milan des gravures sur son règne et sur lui-même. Goethe s'est fait apporter en 1823 les gravures d'Appiani sur l'Empereur.
Le portrait a été tiré de nouveau en 1799, 1801, 1802, 1810 (De Vinck, 6833, 7444).

10. "BONAPARTE GÉNÉRAL EN CHEF de l'Armée d'Italie..." Gravé par Benoist le Jeune d'après Texier, chez Gérard : "Ce guerrier d'une ardeur si haute et si constante remplira dans l'histoire une place éclatante [etc]." − B.N., Est., Collection Hennin, n° 14.100.

11. "BONAPARTE GÉNÉRAL EN CHEF de l'Armée de la République française en Italie, né Corse. Gravure d'après une peinture de S. Le Clerc. - B.N., Est., Collection Hennin n° 14.101.

12. "BUONAPARTE GÉNÉRAL EN CHEF des armées de la République Française". Portrait en buste, de profil, dans un médaillon. Gravure au pointillé par J. Vockerodt, chez Max Engelbrecht à Augsbourg, vers 1798. - Coll. particulière.

13. ALLENT, CAPITAINE DU GÉNIE. Mémoire couronné par l'Institut : Quelle a été et peut être encore l'influence de la peinture sur les mœurs et le gouvernement d'un peuple libre, 1798.

Réed. dans P.V. *de l'Académie des Beaux Arts,* (Sté Art fr.) *I, 1937, p. 113.*
"Puisque la peinture parle à l'imagination des peuples..., c'est au législateur de faire en sorte qu'elle ne lui donne que d'utiles leçons... Si l'art n'est pas dirigé, il prendra, dans les mains du peintre, la direction qu'il recevra de son génie particulier ou de son intérêt".
David fit partie de la commission qui couronna le mémoire. Son rédacteur, ancien collaborateur de Carnot, était chargé au Dépôt de la Guerre d'établir les règles de l'historiographie napoléonienne.

14. CAMPAGNES D'ITALIE ou histoire de la Révolution ; 23 tableaux historiques gravés d'après Carle Vernet sur des eaux-fortes de Duplessis-Bertaux. An VI. - Coll. particulière.

A obtenu les "applaudissements du Ministre de l'Intérieur." Ouvrage très important pour la création de la légende napoléonienne. Seconde édition en 1802 sous le titre de "Campagnes de Napoléon". Autres en 1806, 1807, 1835, 1860. "Un des éditeurs a fait le voyage, suivi l'armée."

15. "CAMPAGNES D'ITALIE du général Bonaparte ; projet de rédaction de la main du chef de bataillon Parizot". — avec des corrections de la main de Napoléon. — Archives du Service historique de l'Armée, Section ancienne, Mémoires historiques 428 - 1.

16. LA LIBERTÉ DE L'ITALIE, dédiée aux hommes libres. Gravure de Monsaldy d'après Ph. Aug. Hennequin. — B.N., Est., N 3.

Le 19 mai 1796, Bonaparte a promis la liberté au peuple de la Lombardie.

17. BONAPARTE ET SES OFFICIERS, dessin d'un enfant de onze ans, 1798. - Archives de la Drôme.

Ce dessin, œuvre du fils d'un "père et d'une mère peu fortunés et agriculteurs", est envoyé par l'Administrateur du canton de Saillans aux Administrateurs du département de la Drôme.

18. "LE VÉRITABLE PORTRAIT DU GRAND BUONAPARTE, Général en chef de l'Armée d'Italie et de l'Armée d'Angleterre, pacificateur du Continent." Il est à cheval, la tête de trois quarts à droite. — A droite de l'image, "L'Epouse du Gle Buonaparte." Gravure sur bois de Desrais et Bayard, audessus d'une chanson sur la prise de Malte, qui annonce aux Anglais que les Français "sous peu [...] les joindront sur la Tamise." — "Canard", publ. à Paris par l'imprimerie Gauthier, 1798. — B.N., Est., N 2.

19. CALENDRIER PERPÉTUEL, Bonaparte, général des armées de la République, menaçant l'Angleterre, aquarelle d'inspiration maçonnique, vers 1798. - B.N., Est., Pa mat.

Alors Bonaparte était personnellement opposé à une descente en Angleterre, il écrit dans ce sens au Directoire le 23 janvier 1798.

20. LE GÉNÉRAL BONAPARTE EN BUSTE.
21. Demi-relief en ivoire façon camée. Portrait ornant le couvercle d'une boîte. — A la Malmaison (donation du Prince Georges de Grèce).

22. BUONAPARTE. Gravure de F. G. Fiesinger d'après J. Guérin, 1798. — B.N., Est., N 2.

Annoncé le 11 août 1798, comme "dessin très ressemblant."

23. LE GÉNÉRAL BONAPARTE (son uniforme est colorié en rouge comme l'habit du 1er Consul). Boîte ovale en bois bordé de cuivre et ornée d'un médaillon ovale. — A la Malmaison (Donation du prince Georges de Grèce).

GROUPE D'ENFANS S'AMUSANT
À DESSINER.
OMER SE LÈVE, ET DIT: JE VOUS
DÉFIE D'EN FAIRE UN PAREIL.

Le Travail porte avec lui sa récompense
après le Travail la Récréation.

L'EXPÉDITION D'ÉGYPTE

Bonaparte quitte Paris le 4 mai 1798 ; il y reviendra le 16 octobre 1799.

"Je n'ai déjà plus de gloire, disait-il à Bourienne en janvier 1798, cette petite Europe ne m'en fournit pas assez ; il faut aller en Orient."

Bonaparte emmène Vivant Denon, qui devient son historiographe. L'Egypte apporte peu de chose à l'iconographie légendaire du général, Denon représentant surtout des sites et des types humains. Le géographe Jomard, resté sur les lieux jusqu'en 1803, publiera sur ordre une monumentale **Description de l'Égypte,** *qui commencera à paraître en 1812, et dont l'Empereur recevra solennellement en 1813 la seconde livraison.*

24. "VOYAGE DANS LA HAUTE ET BASSE-EGYPTE pendant les campagnes du général Bonaparte" par Vivant Denon, 1802. Deux vol. in-fol. - B.N., Impr., 4° Z. Larrey. 90 (Rés.)

L'ouvrage est réédité 6 fois de 1802 à 1810 ; il est traduit en allemand et en anglais.
Denon, emmené en Egypte, sur sa demande, par Bonaparte avec Monge et Berthollet, est chargé d'écrire et aussi de dessiner sur les lieux ("Bonaparte m'ordonna de dessiner la bataille – d'Aboukir, 25 juill. 1799 – et je me trouvai heureux de pouvoir donner une image vraie du théâtre de sa gloire").

25. ALBUM DE SOUVENIRS de la campagne d'Egypte par le sergent Déjuiné. - Bibl. de l'Institut.

26. BONAPARTE EN EGYPTE devant une
27. pyramide. Motif de bronze. – Bonaparte sur un dromadaire. Bronze. – Musée Frédéric Masson (Nos 1378, 1484).

LE PREMIER CONSUL

1799-1804

Après l'image créant le mythe des Anciens essayant de tuer Bonaparte le 19 brumaire, le thème de Consulat sera l'homme incomparable ("Je vous défie d'en faire un pareil"), à la fois pacificateur et restaurateur du culte catholique. C'est le thème développé par Fontanes : "les peuples vaincus saluent Napoléon comme un libérateur, et il était réservé à lui seul d'obtenir leur reconnaissance et de mériter leurs bénédictions".

28. "SÉANCE DU CORPS LÉGISLATIF A L'ORANGERIE DE St-CLOUD... et journée libératrice du 19 brumaire (9 novembre 1799)", gravure au pointillé par Descourtis, 1799. – B.N., Est., Qb1.

    Destinée à soutenir la légende des poignards accréditée par une proclamation de Bonaparte ; Aulard en a montré l'inexactitude, et le grenadier Thomé qui, ici, protège Bonaparte contre les poignards, a raconté qu'il n'avait pas été frappé par un des députés, mais qu'il a "déchiré la manche de son habit en passant près d'une porte" (De Vinck 7407).

29. BONAPARTE ET JOSÉPHINE, portraits en buste, de profil à droite, dans un médaillon ovale, vers 1799. Gravure au pointillé, à Paris, chez Mlle Dien. - B.N., Est., N 2.

    La légende, en vers, contient ces phrases : "Il a vaincu, même le dieu de la Guerre !" et "Des mœurs rétablissant un exemple nouveau, Du bonheur conjugal il offre le tableau."

30. NAPOLÉON ET JOSÉPHINE. Portrait ornant une montre d'argent. – Musée Frédéric Masson (N° 874).

31. "BUONAPARTE" à cheval. Gravure de Robin de Montigny. Au verso, acrostiche sur "Buonaparte" paru dans le **Courrier du jour** du 26 nivose an 8 (16 janvier 1800) et un anagramme sur la Révolution française (Un corse la sauvera). – Coll. particulière.

32. BONAPARTE dans le jardin de Malmaison. Gravure anonyme d'après Isabey, 1800. – B.N., Est., N2.

    Le tableau est exposé au Salon de 1802.

33. BONAPARTE FIRST CONSUL OF FRANCE, gravé d'après la peinture d'Appiani par J. R. Smith, janvier 1800. - B.N., Est., N 2.

    Le tableau appartenait à l'Earl Wycombe. - Bonaparte a pris possession de sa charge de Premier Consul le 24 décembre 1799.

34. BONAPARTE PREMIER CONSUL. Gravure en couleurs, par Chataignier, 1801. - B.N., Est., N 2.

    Bonaparte disait à Maret (oct. 1800) que son habit de la garde consulaire était beau, mais moins que son uniforme de lieutenant d'artillerie.

35. LE PREMIER CONSUL en buste, reproduction du portrait de Chataigner. Boîte ronde en métal doré doublé d'écaille. — A la Malmaison (Donation du Prince Georges de Grèce).

36. BONAPARTE PASSANT LE MONT St-BERNARD le 20 mai 1800, gravure de Longhi d'après David, 1801. - B.N., Est., N3.

Revenu à Paris le 2 juillet 1800, Bonaparte commanda le tableau qui fut achevé le 24 février 1801. Il fut exposé par David avec les Sabines (une des premières expositions à entrée payante), eut un grand succès ; David en fit quatre répétitions et ses élèves des copies.
Le portrait n'était pas ressemblant, mais Bonaparte n'était pas fâché d'être "flatté".

37. VIE DE BONAPARTE Premier Consul, médaillon par Le Beau d'après Nodet, chez Jean. — B.N., Est., Qb mat. grand format.

38. LE PREMIER CONSUL en buste, silhouette en camaïeu sur bois découpé d'après la grisaille de Sauvage. - A S. A. I. le prince Napoléon.

39, BONAPARTE PREMIER CONSUL. Buste
40. en bronze et buste en biscuit. - Musée Frédéric Masson (nos 852 et 898).

41. LE PREMIER CONSUL en buste dans son étoile. Portrait peint et vernissé ornant le couvercle d'une boîte. — A la Malmaison (Donation du Prince Georges de Grèce).

42. BONAPARTE. Eventail allégorique, gravure de Godefroy d'après Chaudet, Fontaine et Percier, vers 1800. - B.N., Est., N 2.

43. BONAPARTE - TURENNE. Deux portraits en buste en pendant dans des médaillons. Sur une pyramide, l'inscription : "Le Consul Bonaparte le 1er Vendémiaire an 9 a fait transporter au Temple de Mars, les mânes de Turenne." Sous l'image : "On peut commander quand on a été soldat [etc]". Gravure anonyme, 1801. - B.N. Est., N 2.

Le 22 septembre 1800 a lieu cette cérémonie ; le 23 Bonaparte pose la première pierre du monument à Kléber et Desaix place des Victoires.
Le 18 mars 1802, visitant la Bibliothèque nationale, il s'intéresse surtout aux médailles d'Alexandre et de César.

44. BUSTE DE BONAPARTE. Silhouette en bois découpé. — A S.A.I. le prince Napoléon.

45. BUSTE DE BONAPARTE, papier peint, manufacture de Hartmann, Risler et Cie à Rixheim. — B.N., Est., N 3.

Déposé le 11 nivose an x (1er janvier 1802).

46. ECRAN DE CHEMINÉE. "Soie tissée à Lyon devant le Premier Consul" vers le 20 janvier 1802. Avec l'initiale B et une inscription allégorique. - Au Musée Frédéric Masson.

47. "RIEN NE MANQUE PLUS à sa gloire. Dix-huit Brumaire An Dix." Gravure anonyme chez Martinet, épr. coloriée. - B.N., Est., Qb 1.

Au moment de la réception du plénipotentiaire anglais venu négocier la paix d'Amiens.

48. "PAIX GÉNÉRALE AN X". Des hommes de toutes les nations dansent ensemble autour d'une statue représentant la Sagesse dictant à Bonaparte les traités de paix, tandis qu'un "Génie porte au Temple de Mémoire le nom chéri du Héros à qui la France doit sa gloire [etc.]..." Gravure de Le Cœur, chez Bance. — B.N., Est., Qb 1.

Après la paix d'Amiens, 26 mars 1802.
Alors Bonaparte, qui quitte volontiers le costume militaire, a dit à Roederer qu'il dirait volontiers "à la nation de se garder du gouvernement militaire ; je lui dirais de nommer un magistrat civil."

49. LES HONNEURS DU TRIOMPHE décernés à Bonaparte, gravure de François-Anne David, d'après Monnet, 1802. Exposé au Salon de 1802. — B.N., Est., Qb 4.

50. BONAPARTE EN IMPERATOR dans un char traîné par deux chevaux conduits par la Victoire. Miniature en grisaille dans un médaillon ovale ornant une boîte ronde en stuc gris-vert. Vers 1802. - A la Malmaison (Donation du Prince Georges en Grèce).

51. AU PACIFICATEUR, prospectus d'un magasin de draps et nouveautés, 159, rue St-Honoré, vers 1802. - B.N., Est., Li 58 (images de Paris).

Inspiré du "Bonaparte au Mont St-Bernard".

52. A BONAPARTE PACIFICATEUR...," gravure allégorique sous la direction de C.E. Gaucher, chez Joubert, etc., vers 1800. — B.N., Est., N 4.

53. RÉTABLISSEMENT DE LA RELIGION CATHOLIQUE, Pâques 1802. Discours prononcé par le Cardinal Caprara au premier Consul Bonaparte et Proclamation des Consuls de la République. Feuille illustrée d'un portrait de Bonaparte, gravure de Bonneville dans un médaillon ovale. - B.N., Est., N 2.

54. DIEU créant le Premier Homme, gravure par Dufresne d'après Raphael, 1802. - B.N., Est., N 2.

55. JE VOUS DÉFIE D'EN FAIRE UN PAREIL, enfant montrant un portrait de Bonaparte, 1802. - B.N., Est., N 2.

11

56. REVUE DU QUINTIDI, gravure en couleurs par Levachez et Duplessis-Bertaux d'après Boilly, parue le 29 thermidor an x (16 août 1802), après la fête du Consulat à vie. - B.N., Est., N 2.

La parade avait lieu le 5 de chaque décade (d'où son nom) dans la cour des Tuileries. Dans une de ces parades, Isabey l'avait dessiné, maigre et mélancolique, et comme Bonaparte en était mécontent, il lui avait répondu : "Je vous ai fait comme vous êtes, citoyen Premier Consul". Voir gravure d'après Isabey, au n° 32.

57. ENTRÉE DE NAPOLÉON LE GRAND et son Auguste Epouse dans la ville d'Anvers le 18 juillet l'an 1803. Gravure de J. J. Van den Berghe d'après une esquisse de Van Brée, impr. Bassand à Anvers, vers 1803. Epr. coloriée. - B.N., Est., Qb mat., gr. format.

Le 22 juillet, à Bruxelles, il assistera à une fête assis dans le fauteuil de Charles-Quint. En 1805, à Gênes, il couchera dans le lit de Charles-Quint.

58. "VOYAGE DU 1er CONSUL en l'an XI dans les Départements de la Somme, Pas-de-Calais, Nord, la Lys, l'Escault, la d'Yle, l'Escault, la d'Yle, Gemmape, l'Ourt, la Roer, Bas-Rhin et autre. Bonaparte Premier Consul suivi de son Etat Major est reçu par les autorités constituées". Gravure anonyme, 1803. - B.N., Est., Qb mat. 1.

Visite des côtes, visites de manufactures. Le 29 juin un maire lui offre une colombe tenant dans son bec un rameau d'olivier.

59. LETTRE DE VIVANT DENON A NAPOLÉON, le 9 Ventôse an XII (2 mars 1804). Il lui demande un secours pour Bacler d'Albe, lui parle de tableaux militaires de cet artiste et l'entretient d'un texte que lui, Vivant Denon, rédige au sujet de l'armée d'Italie, d'après ce que lui a dicté l'Empereur, et d'après ce qui a été publié à ce propos. — Archives Nationales, A F IV 1050 (dossier 1-11).

L'EMPEREUR

1804

"Oui, c'est vraiment le trône de Charlemagne qui se relève après des siècles"
(Lacretelle aîné).

60. NAPOLÉON I COURONNÉ EMPEREUR DES FRANCAIS, gravé par Jean Veni d'après Miris, 1804. — B.N., Est., Qb 5.

Le Sacre et le Couronnement ont eu lieu le 2 décembre 1804.

60A. CÉRÉMONIE DU COURONNEMENT [...] pour le Forte Piano par Beauvarlet — Charpentier, chez l'auteur, 1804. — B.N., Mus., Vm^{12}. 2511.

61. NAPOLÉON PREMIER, EMPEREUR..., gravé en couleurs par Copia, chez Bance aîné, 1804. - B.N., Est., N3.

62. NAPOLÉON EN COSTUME DE SACRE. Silhouette sur bois découpé. — A S. A. I. le prince Napoléon.

63. NAPOLÉON EN COSTUME DE SACRE. Petit camée rectangulaire ornant le couvercle d'une boîte rectangulaire en nacre cerclée d'argent. — A la Malmaison (Donation du Prince Georges de Grèce).

64. PROFIL COURONNÉ DE L'EMPEREUR, ornant des cadrans de montre. — Musée Frédéric Masson (N° 911, 915).

65. BUSTE DE NAPOLÉON en costume impérial ornant des montres. — Musée Frédéric Masson, (N°s 875, 880, 875, 891).

66 à PROFIL DE NAPOLÉON à cheval en
68 A costume de Sacre. (évocation de Charlemagne) ornant des montres. — Musée Frédéric Masson. (N° 871, 876, 889, 893).

Napoléon s'est fait présenter les reliques de Charlemagne à Aix-la-Chapelle le 24 janvier 1805.

69. LA TÊTE AURÉOLÉE DE NAPOLÉON (peinture fixée sur nacre d'après la gravure de Davos) dans une bordure ovale de perles, sur le manteau de Sacre surmonté de la couronne impériale. Composition allégorique ornant le couvercle d'une boîte en galuchat vert doublée d'écaille. — A la Malmaison (Donation du prince Georges de Grèce).

70, "NAPOLÉON". Motifs allégoriques en
71. argent, feuilles de chêne et laurier, larme, étoile et banderole, ornant le couvercle d'une boîte ronde en ébène. — Napoléon entouré de drapeaux et de lauriers, couvercle d'une boîte à jetons. — A la Malmaison (Donation du Prince Georges de Grèce).

72 à PROFIL DE NAPOLÉON et drapeaux
76. ornant des cadrans de montres. — Musée
Frédéric Masson. (Nᵒˢ 872, 886, 902, 904, 906).

77. TÊTE DE NAPOLÉON, couronnée de
lauriers, argent. — Musée Frédéric Masson.
(N° 1349).

78. "NAPOLÉONE IMPÉRIALE. Dédiée à Sa
Majesté l'Empereur des Français par Palisot-
Beauvois." Gravure de Lambert d'après J.G.
Prêtre, aux frais de S.M. l'Impératrice, 1805.
B.N., Est., AA4. Lambert.

*Cette planche est accompagnée d'une page de
texte, "Napoléone impériale... premier genre d'un
nouvel ordre de plantes, les Napoléonées."*

79. "PYRAMIDE ÉLEVÉE À L'AUGUSTE
EMPEREUR des Français Napoléon 1ᵉʳ.
Par les Troupes campées dans la plaine
de Zeyst, faisant partie de l'armée française
et batave, commandée par le Général en
chef Marmont." Gravure de Baltard, 1805.
— B.N., Est., Collection Hennin, N° 13329

80. MÉMOIRES HISTORIQUES, n° 428 I -
Archives hist. de la Guerre.

*Résultat d'une enquête ordonnée par l'Empereur
au Gᵃˡ Sanson, directeur du Dépôt de la Guerre.
Comme l'a montré le professeur Reinhardt, deux
chefs de bataillon écrivaient d'après les témoignages recueillis ; Pascal Vallongne les corrigeait
dans un style grandiloquent, et Lavergne les
mettait en œuvre.
Ici une tranche soumise à l'Empereur et retouchée
sur ses indications.*

81. LES PEUPLES DE LA TERRE GLORI-
FIENT NAPOLÉON, que leur présente
l'Histoire. Peinture anonyme, vers 1805-
1810. — Musée du Louvre.

82. VIVANT DENON, lavis de Benjamin Zix
et Heim, vers 1805. - B.N., Est., coll.
Hennin, n° 3334.

*Denon, dans une atmosphère à la Pianèse, est assis
à sa table de travail, entouré de ses publications
officielles, et des monuments construits sous sa
direction.
On connaît trois exemplaires de ce lavis, sans
doute destiné à une gravure que Denon ne fit pas
exécuter, pour ne pas s'attribuer trop de place
dans cette organisation de la propagande.*

82 a STATUETTE en bronze de Napoléon sur
un socle de marbre offerte par l'Empereur
à Vivant Denon, et conservée par ses parents.
— A Mᵐᵉ Albert Roulhac.

83. "DISCOURS DE L'EMPEREUR au Sénat
dans la séance du premier vendémiaire an
14" (23 septembre 1805). Napoléon, qui
venait de faire décréter une levée de 80.000
hommes et la réorganisation de la Garde
Nationale, proteste de son "profond amour
pour la paix", et accuse l'Angleterre d'avoir
"précipité" l'Autriche dans la guerre".
Photographie de l'affiche imprimée à Mont-
pellier et conservée dans la collection de
Vinck sous le n° 8.010. - B.N., Est., Qb
mat 1.

*Ce discours avait été publié dans LE MONITEUR
du 25 sept. 1805.*

L'EMPEREUR

1805-1810

La propagande officielle est désormais organisée par Vivant Denon qui en indique les thèmes dans le MONITEUR.

On représente, d'une part, les batailles, de l'autre, le grand général en tenue de colonel des Chasseurs de la Garde.

84. LE MONITEUR, journal politique. — B.N., Pér.

Ce journal devint sous le Consulat puis sous l'Empire le journal officiel ; Bonaparte y envoyait des textes ; Napoléon y fera imprimer les "Bulletins de la Grande Armée." En 1804, "le Moniteur" n'avait que 2450 abonnés.
En 1811 Napoléon réduisit les journaux politiques à quatre. "le Moniteur", "la Gazette de Paris", le "Journal de Paris", et le "Journal de l'Empire" (nom donné de 1805 à 1814 au "Journal des Débats").
De 1806 à 1811 exista le "Journal des curés" que Napoléon avait créé comme seule lecture souhaitée par lui pour le clergé. Le "Bulletin de Paris" (1802-1803) était "rédigé dans le cabinet et sous les yeux de Bonaparte."

85. "LES AVANT-GARDES D'ULM sont forcées le 22 vendemiaire an 14, 14 octobre 1805". Dessin à la plume par Bagetti. (Napoléon à gauche sur une éminence). — Musée de l'Armée.

Napoléon est à Elchingen. La capitulation d'Ulm aura lieu le 19 octobre 1805.
G. P. Bagetti (1764-1831) est chargé, depuis 1800 de dessiner sur le lieu les batailles de Bonaparte, puis de l'Empereur. Un grand ensemble de ses dessins est conservé au Musée de Versailles qui compte les exposer bientôt, le Musée de l'Armée et le Cabinet des Estampes en ont quelques-uns.

85 a "BATAILLE D'AUSTERLITZ le 14 brumaire an 14, [2 décembre] 1805". Dessin à la plume "d'après nature par Bagetti."

(Napoléon à gauche sur une éminence. Rapp arrive au grand galop, le chapeau tendu). — Musée de l'Armée.

"J'ai livré 30 batailles, mais je n'en ai vu aucune où la victoire ait été si décidée" (31e BULLETIN, 4 déc. 1805).
Bagetti crée le thème qui sera repris par Gérard.

86. "BATAILLE D'AUSTERLITZ surnommée (...) des trois Empereurs, pour le Forte Piano (...), dédié à la Grande Armée", 1805. - B.N., Mus., Vm^{12}. 2510.

87. LES TROIS EMPEREURS. Portraits en
96. médaillon ornant le cadran de montres. — Musée Frédéric Masson (Nos 873, 878, 879, 894, 895, 896, 899, 900, 907, 916.

97. LA BATAILLE D'AUSTERLITZ par le baron Gérard. Gravure par Godefroy, 1813. B.N., Est., DC 55 c.

L'original, commandé officiellement, parut au Salon de 1810 et fut placé aux Tuileries, dans la salle du Conseil d'Etat.
Le tableau gravé appartenait au général Rapp lui-même. L'original, commandé à Gérard par Napoléon en 1806, ne fut terminé qu'en 1810. La gravure eut un succès inouï dû au geste de Rapp se découvrant devant l'Empereur. Au début de LA FEMME DE TRENTE ANS, le jeune d'Aiglemont se découvre en l'imitant ; Thiers, à une revue passée devant Louis-Philippe voulut l'imiter, mais le mouvement effraya son cheval qui le jeta à terre.

98. NAPOLÉON A MI-CORPS D'APRÈS GROS (La rencontre de François II et Napoléon après Austerlitz par Gros). Miniature ornant le couvercle d'une boîte ronde en buis doublée d'écaille. – A la Malmaison (Donation du Prince Georges de Grèce).

L'entrevue a lieu sur la route le 4 décembre. En remontant à cheval, Napoléon dit : "Messieurs, nous retournons à Paris. La paix est faite."

99. LE SAUVEUR DE LA FRANCE.., gravure d'Euphrasie Picquenot, 1806. – B.N., Est., N 4

Manifestation de l'enthousiasme des Français après la victoire d'Austerlitz. Le 29 mai, Napoléon revenu à Paris le 27, est acclamé au Théâtre Français.

100. "HOMMAGE À NAPOLÉON-LE-GRAND, PROJET DE MONUMENT", par J.-P. L. L. Houel, architecte, peintre graveur, avril 1806. – B.N., Est., Qb 1.

101. L'ARC DE TRIOMPHE DU CARROUSEL, commandé à Fontaine par décret du 26 février 1806, terminé en 1808. Modèle réduit sur un socle de bois. – Musée Frédéric Masson (N° 1639).

A la fin de 1807, il était suffisamment achevé pour que la Garde impériale, victorieuse à Eylau et à Friedland, puisse, la première, passer sous ses voûtes (Poisson).

102. BATAILLE D'IÉNA. Gravure, chez Martin. – BATAILLE DE IÉNA, gravure coloriée, chez J. Chéreau. – B.N., Est., Qb 1.

"Jamais armée n'a été plus battue et plus entièrement perdue que celle de nos adversaires" écrit Napoléon à Joséphine, le lendemain d'Iéna (la bataille a lieu le 4 octobre 1806).

103. GOURDE EN BOIS ornée d'un portrait de Napoléon au milieu de motifs décoratifs. Elle appartenait au soldat Poupou, qui l'a prêtée à Napoléon à Iéna (c'est la gourde de "APRÈS VOUS, SIRE"). – A S. A. I. le prince Napoléon (N° 38).

Sur ce thème, qui n'apparaît dans l'imagerie qu'en 1828, voir à cette date.

104. SAINT NAPOLÉON, gravure coloriée chez Chéreau, vers 1806. - B.N., Est., coll. Hennin, n° 13.323.

Un décret du 19 février 1805 créa la fête de St Napoléon, qui, le 15 août (jour de la naissance de l'Empereur), remplaça la St Louis. On trouva dans le martyrologe un St Néapolis.
Cf. H. Delehaye, S.J., LA LÉGENDE DE St NAPOLÉON dans les MÉLANGES PIRENNE, 1926.

104a TROIS AQUARELLES allemandes et une gravure anonyme sur le séjour des Français à Nuremberg en 1806 et sur leur départ pour Paris. - B.N., Est., collection Hennin n° 13.093

Grand succès des soldats français auprès des allemandes, qui apprécient leur galanterie et pleurent leur départ.
Il existe sept gravures anonymes allemandes sur le même thème, l'une d'elles intitulée "Les filles de Nuremberg". – B.N., Est., collection Hennin n° 13.094.

105. "NAPOLÉON 1er visite la tombe de Frédéric II le 25 octobre 1806." Gravure d'Arnold d'après Dähling. – B.N., Est., Collection Hennin, N° 13075.

La visite du tombeau de Frédéric II à Postdam eut lieu le 26 octobre.

106à   CINQ GRAVURES d'après le dessin de
110.   Dähling à Berlin, 1806 : *Napoleon der Erste,*
       par Fr. Guimpel, Berlin, Nov. 1806 ;
       Napoléon Empereur des Français Roi d'Italie
       par Fried. Arnold ; *Napoléon Empereur
       des Français Roi d'Italie,* anonyme ;
       *Napoléon 1er Empereur des Français, Roi
       d'Italie,* "dessiné à Berlin. Gravé par J.P.
       Simon", chez Fatou, à Paris et *Napoléon*

Taken on the Parade, gravé par Wallis,
Londres, 1808. - B.N., Est., N2.

*Napoléon est à Berlin du 27 octobre au 24
novembre.*
*Le peintre Heinrich Dähling (1773-1850), et non
Lehmann comme le dit Nagler, dessina Napoléon
en uniforme des chasseurs de la Garde ; son dessin
fut montré à un soldat qui occupait sa maison,
puis par celui-ci à son général qui l'envoya à Paris
où il fut gravé à l'infini.*

111. NAPOLÉON EN BUSTE, d'après Dähling. Miniature ornant une boîte en bois noir. — A la Malmaison (Donation du Prince Georges de Grèce).

112. NAPOLÉON PREMIER Empereur des Français roi d'Italie en buste, de profil en uniforme des Chasseurs de la Garde, gravure par G.H. Lehmann en 1806. - B.N., Est., N 2.

Contrairement à la tradition rapportée par Nagler, il semble que Lehmann, qui jusque là travaillait obscurément pour des libraires, n'ait pas dessiné de mémoire ce profil de Napoléon, mais l'ait copié d'après Dähling.

113. BONAPARTE sous un palmier auprès d'une colonne sur laquelle un papyrus est déroulé. Statuette de bronze ornant une pendule. Cette statuette de Bonaparte s'inspire du Napoléon de Dähling. — Musée Frédéric Masson (Nº 1558)

114, NAPOLÉON DEBOUT, les bras croisés sur
128. le manche de canifs, sur des boutons de bronze doré, statuettes, faïences, un hochet. — Musée Frédéric Masson (Nᵒˢ 1211, 1357, 1358, 1360, 1361, 1366, 1367, 1368, 1372, 1374, 1386, 1390, 1480, 1488 et 1556.

129, NAPOLÉON, DEBOUT, les bras croisés, en
136. uniforme, et avec le petit chapeau. Statuettes en bronze. — Musée Frédéric Masson (Nᵒˢ 1358, 1359, 1362, 1388, 1392, 1393, 1394 et 1485.

137, NAPOLÉON DEBOUT, les bras croisés.
138. Petite statuette en biscuit. — A S. A. I. le prince Napoléon (Nᵒˢ 2022 et 2048).

139. NAPOLÉON DEBOUT, en uniforme, avec son manteau et le petit chapeau, la main gauche dans le gilet. Statuette d'argent. — Musée Frédéric Masson, (N° 1387).

140. NAPOLÉON EN UNIFORME, la main droite dans son gilet, l'index de la gauche tendu en avant. Statuette de bronze sur un socle de marbre vert veiné. — Musée Frédéric Masson (Nº 1470).

141, NAPOLÉON, DEBOUT, les bras croisés,
142. une lorgnette dans la main gauche. Statuettes en biscuit, et en bronze doré. — Musée Frédéric Masson (Nᵒˢ 1350 et 1354, 1380 et 1382.

143, NAPOLÉON EN UNIFORME, debout.
147. Manches de couteaux et statuettes. — Musée Frédéric Masson (Nᵒˢ 1267, 1354, 1355, 1380 et 1382.

148. CACHET D'ARGENT du Général Comte de Damas ("Armée persanne — Le général-comte de Damas"). Le manche est constitué par une statuette de Napoléon, debout, en uniforme, avec son manteau et son petit chapeau. - Musée Frédéric Masson (N° 1384).

149. NAPOLÉON DEBOUT et de profil. Portrait ornant le manche de cuivre de couteaux. — Musée Frédéric Masson (Nᵒˢ 1351, 1353 et 1373).

150, LE PROFIL DE NAPOLÉON ornant les
151. viroles en or d'un couteau à fruit. — Musée
Frédéric Masson (Nᵒˢ 1369, 1370).

152. NAPOLÉON ASSIS, de profil. Portrait
ornant une montre d'argent. — Musée
Frédéric Masson (N° 881).

153, BUSTES DE NAPOLÉON en ivoire et en
154. bronze. — Musée Frédéric Masson (Nᵒˢ 1261,
1277 et 1385).

155. NAPOLÉON À CHEVAL, le bras tendu.
Petite statuette en bronze. — A S. A. I. le
Prince Napoléon (N° 3518).

156, NAPOLÉON À CHEVAL. Statuette de
157. bronze et de porcelaine. — Musée Frédéric
Masson. (Nᵒˢ 1455 et 1460, 5888).

158. "ADDITION Licurgue. Cyrus. Alexandre
Annibal. César. Charlemagne. Total. Napoléon le Grand." Gravure de Mlle Désiré,
1806. - B.N., Est., N 2.

159. PROJET DE PUBLICATION d'une série
159a de gravures sur les campagnes d'Italie et
d'Allemagne soumis à Napoléon par Vivant
Denon en 1806, et avis favorable, non signé,
de l'Empereur. — Archives Nationales, A F
IV 1050 (dossier 2, 19-22).

*"Lettre circulaire de S. Ex. Le ministre des cultes
(5.12.1806) et lettre pastorale de M. l'archevêque
de Besançon", (même date). — Archives Nationales,
F 9 178 (dossier 4).
Portalis voit en Napoléon "le souverain qui combat
précédé de l'ange de la victoire" et l'archevêque
le compare à Cyrus.*

160. "NAPOLÉON ACCORDE À MADAME DE
HATZFELD la grâce de son mari...," gravure
par Clément d'après Monsiau, 1806. - B.N.,
Est., Qb 1.

*Annoncée le 25 décembre 1806, mise en vente
le 7 mars 1807, cette estampe fut dédiée à
l'Impératrice, à qui Napoléon avait raconté
l'épisode dans une lettre du 6 novembre 1806,
assurant qu'il est loin d'éprouver de la malveillance
envers les femmes.
L'épisode est raconté dans le MONITEUR des 6
et 7 novembre 1806. Sous Louis XVIII, la gravure
fut reprise avec un pendant montrant Mme de
Labédoyère aux pieds de Louis XVIII avec pour
titre : "Le tyran pardonne, le bon père ne
pardonne pas." Un policier signale alors qu'une
"gravure de ce genre fait plus de mal que cent
gravures incendiaires" (E. Daudet, LA POLICE
POLITIQUE..., 1912).*

161. NAPOLÉON 1ᵉʳ VISITE UNE PAYSANNE
AUX ENVIRONS DE BRIENNE, 4 août
1804. Tableau de Leroy de Liancourt.
— Musée de Versailles.

*"S.M. s'était informée la veille d'une bonne femme
qui occupait une chaumière au milieu du bois, et
chez laquelle, pendant son séjour à l'Ecole
Militaire, elle allait quelquefois prendre du lait.
Assurée qu'elle existait encore, elle se présenta
seule chez elle, et lui demanda si elle reconnaîtrait
Bonaparte. A ce nom, la bonne femme est tombée
aux genoux de l'Empereur qui l'a relevée avec
la bonté la plus touchante, en lui demandant si
elle n'avait rien à lui offrir. Du lait et des œufs,
répondit-elle. L'Empereur prit deux œufs, et ne
quitta son hôtesse qu'après l'avoir assurée de sa
bienveillance." L'explication des ouvrages du Salon
de 1806, n° 352).*

162. PRISE D'EYLAU, le 8 février 1807. Dessin
de Bagetti. — Musée de Versailles.

*Sur le Piémontais Bagetti, voir la remarque du
n°84.*

163. VUE DE LA DROITE DU CHAMP DE BATAILLE de l'Armée russe devant Preussisch – Eylau. Dessiné sur les lieux par L. le 8 février 1807. Gravé par Lameau et Misbach, 1807. – B.N., Est., Collection Hennin, t. 150, n° 13.134.

164. CHAMP DE BATAILLE DE PREUSS-EYLAU (9 fév. 1807), Napoléon faisant distribuer des secours aux blessés français et russes. – B.N., Est., collection Hennin, n° 13-138.

Le sujet avait été conseillé aux artistes par Vivant Denon (MONITEUR du 2 avril 1807) qui donnait les détails nécessaires.

165. LES DEUX EMPEREURS A TILSITT, 23 juin 1807. Composition ornant une montre en argent. – Musée Frédéric Masson (N° 910).

166. "ENTREVUE DES TROIS SOUVERAINS... The Meeting..." à Erfurt le 28 septembre 1808. Gravure de Jügel d'après C. Schumann, publié à Londres et à Berlin par Schiavonetti, 1808. – B.N., Est., Qb 5.

167. S.M. L'EMPEREUR montre à l'Impératrice... les articles du Code Civil qu'il vient de terminer, gravure par F.A. David, 1807. – B.N., Est., N 3.

Une des dix planches des Grandes époques du règne de Napoléon Ier, 1805-1813.
Le 24 août 1807 une nouvelle édition du CODE CIVIL (21 mars 1803) appelé le CODE NAPOLÉON fut soumise au Corps législatif (qui l'accepta par la loi du 3 septembre).

168. NAPOLÉON ET LE CODE CIVIL. Statuette en bronze vert. – Musée Frédéric Masson (N° 1210).

169. NAPOLÉON à cheval le bras tendu, par Levachez d'après Carle Vernet, vers 1807. – B.N., Est., N 6.

170. "ENTREVUE DE L'EMPEREUR des Français et de l'Empereur de Russie" (25 juin 1807), gravure par J.-B. Morret, chez Basset, 18 juillet 1807. – Qb 1.

D'après le 86e BULLETIN (MONITEUR du 8 juillet).

171. LETTRE DE VIVANT DENON à Napoléon, le 8 mai 1808, au sujet d'un torse antique qu'il a fait transformer par le sculpteur Cartellier en buste de l'Empereur, et à propos d'autres bustes du souverain qu'il a fait exécuter selon ses instructions. Archives Nationales, AF IV 1050 (dossier 4, n° 29).

172. DEVIS PROPOSÉ À NAPOLÉON par Vivant Denon, le 21 mai 1808, pour les gravures qu'il lui suggère de faire faire d'après les bas-reliefs de "la Colonne d'Austerlitz". – Archives Nationales, AF IV 1050, dossier 4, Nos 30-33.

173. TABLEAU HISTORIQUE des opérations militaires de la Grande Armée commandée par S.M. Impériale et Royale, image populaire de Gauthier, 1808. – B.N., Est., Li 58 (image de Paris).

174. "JEAN WOLFGANG DE GOETHE..., nommé Grand cordon de la Légion d'Honneur par Napoléon Bonaparte en 1807", lith. de Fauconnier, vers 1820. — B.N., Est., N2.

Napoléon, à Erfurt, invita Goethe à venir le voir le 2 octobre 1808 (et non 1807). L'entretien dura une heure. Napoléon lui conseilla d'écrire une pièce sur César : "Il faudrait montrer au monde comment César l'eût rendu heureux... si on lui eût laissé le temps d'exécuter ses plans immenses." Goethe resta toute sa vie frappé de cette conversation, et honoré d'avoir entendu l'Empereur dire de lui : "VOILÀ UN HOMME" (ENTRETIENS... AVEC LE CHANCELIER DE MULLER, trad. A. Béguin, 1930, 3). Il lut, à partir de 1817, tout ce qui concernait Napoléon, il passa un mois (décembre 1823) avec le MÉMORIAL DE Ste HÉLÈNE ; en septembre 1825, il feuillette une VIE DE NAPOLÉON illustrée de lithographies (probablement celle d'Arnault, illustrée notamment par Géricault) ; en juin 1826, il regarde et commente pendant plusieurs soirées des gravures sur Napoléon. Son fils, Auguste, se constitue une collection napoléonienne (Cf. GOETHE ET LA FRANCE, par H. Loiseau, 1930, p. 62).

175. LETTRE DE VIVANT DENON à Napoléon le 25 octobre 1808 lui donnant, pour remplacer les tableaux de Trianon, la liste des sujets qu'il "a eu la bonté de" lui demander. — Archives Nationales, AF IV. 1050 (dossier 4, nos 47-48).

Denon propose à Napoléon de faire représenter ses divers quartiers généraux à l'étranger et son entrée dans les villes conquises.

176. LETTRE DE VIVANT DENON à Napoléon, Valladolid, le 18 janvier 1809. Rapport sur la mission que l'Empereur lui a confiée en Espagne et sur les dessins qu'il y a exécutés et qui sont susceptibles d'être reproduits sous forme de tableaux "au choix de Sa

Majesté." — Archives Nationales, AF IV 1050, dossier 5, nos 1 et 2.

Ces dessins, fait remarquer Denon à l'Empereur, "continuent la collection de ceux des campagnes de Votre Majesté."
L'Empereur est parti la veille pour Paris.

177. "BATAILLE D'ECKMÜHL LE 22 AVRIL 1809." Dessin à la plume de Bagetti. — Musée de l'Armée.

Après cette très grande victoire, Napoléon arrête son armée au lieu de poursuivre les Autrichiens.

178. MORT DE LANNES À ESSLING 22 MAI 1809 d'après le 10e bulletin (MONITEUR 31 mai). — B.N., Est., Qb 1. Dépôt le 28 juin.

179. "MORT DU GÉNÉRAL LANNES, à Essling, le 22 mai 1809." Gravure à l'aquatinte, chez Noël, 1809. — B.N., Est., Qb mat .

180. RAPPORT RÉDIGÉ LE 18 AOUT 1809 à Vienne par un membre de l'Intendance générale de la Maison de l'Empereur sur la demande, par Vivant Denon, d'un crédit de 120.000 Francs pour l'exécution de douze tableaux représentant les évènements de la campagne d'Autriche en 1809 et les bustes en marbre des généraux morts pendant la campagne. — Archives nationales, AF IV 1050, dossier 5, n° 16.

Le jour même, à Vienne, Napoléon apprend que le général Miolis vient d'enlever le pape. La veille, il a organisé un ordre de la Toison d'Or, et a assisté aux illuminations de Vienne en l'honneur de sa fête.

181. ESQUISSE REPRÉSENTANT LA RÉU- NION DES SOUVERAINS, accompagnant sa Majesté l'Empereur et Roi du Bal donné par la Ville de Paris le 4 Décembre 1809. S.M. l'Empereur répondant au Discours de Mr le Préfet du Département de la Seine (croquis fait d'après nature). Gravure en taille-douce, chez A. Godefroy. — B.N., Est., Qb 1.

Fête donnée pour l'anniversaire du Couronnement de la paix avec l'Autriche. La veille avait eu lieu un Te Deum à Notre Dame.

182. EMPIRE FRANCAIS PATRIE HONNEUR.., gravure d'après Vallon, employé au Ministère de la Guerre, par Roy. — B.N., Est., N3.

183. "LES CAMPAGNES DE NAPOLÉON.., rédigé en 1809 par Tranchant de Lavergne, revu et corrigé par le comte Bertrand, éd. L. Hennet. — B.N., Impr., 8° Q. 286 (11).

L'ouvrage est commencé en 1809, révisé en 1810- 1813. (3 vol.). C'est une mise en œuvre des MÉMOIRES HISTORIQUES (voir n° 00). Le MÉMORIAL DE Ste HÉLÈNE sera écrit en partie d'après ce texte.

184. "NAPOLÉON LE GRAND, *Empereur des Français "Roi d'Italie".* Portrait "dessiné à Paris le 2 avril 1810 jour de la célébration du mariage de sa Majesté et gravé par Adrien Godefroy". Déposée le 19 mai 1810. - B.N., Est., N2.

D'après Pasquier, sa "physionomie, naturellement sérieuse, était rayonnante de bonheur et de joie", mais elle s'est rembrunie lorsque Napoléon constatera que treize cardinaux étaient absents.

185. NAPOLÉON ET MARIE-LOUISE debout devant le trône impérial recevant l'hommage des grands corps de l'Etat, de France et d'Italie, le 3 avril 1810. Gravure anonyme, 1810. — B.N., Est., Collection Hennin, n° 13.303.

186. ARC DE TRIOMPHE élevé par la Ville de Paris en l'honneur de Napoléon et de Marie- Louise. Aquarelle de Conrad Brüger, Aschaffenburg, 6 février 1811, d'après un "dessin levé à Paris d'après l'original le 11 mai 1810". — B.N., Est., Collection Hennin, n° 13.286.

Souvenir des cérémonies du 2 avril 1810. L'aquarelle n'aurait-elle pas été présentée à Napoléon lors de son passage à Aschaffenburg le 13 mai 1812 ?

187. NAPOLÉON LE GRAND, allégorie, gravée par Aubert sourd-muet d'après Dabos et Alexandre Tardieu, vers 1810. — B.N., Est., N3.

Reprise par Lagoutte parfumeur (lithogr. de Mme Ve Noel, vers 1848) comme réclame pour un Double extrait d'Eau de Cologne nationale.

188. SUPPLIQUE DE JEAN-CHARLES PELLE-
RIN demandant à ne pas être rayé du
Tableau des imprimeurs du département
des Vosges (1810). Le demandeur précise
que s'il obtient cette faveur, "ce bienfait
sera vivement ressenti, ne s'oubliera jamais
et, s'il était possible, ajouterait encore aux
sentiments d'amour, de respect, de dévouement que Pellerin a voués à son auguste
souverain." — Archives Nationales, F 18,
dossier 2111.

*Jean-Charles Pellerin, qui éditait jusque là des
cartes à jouer, demande, alors qu'on réduit le
nombre des imprimeurs, à éditer davantage. Il va
publier jusqu'en 1815 des images à la gloire de
l'Empereur et de sa famille.*

*Par la suite, Jean-Charles Pellerin, âgé de soixante
ans, veut se retirer en 1815. On ne lui permet
qu'en 1828, car son fils Nicolas est favorable à
l'Empereur et sa fille a épousé à 16 ans Pierre
Germain Vadet, un héros qui a perdu un bras
à Essling et a été félicité, décoré et pensionné
par Napoléon.*

189. NAPOLÉON, Empereur des Français, roi
d'Italie. Image populaire, coloriée, de la
fabrique d'Hurez, à Cambrai, 1810. — B.N.,
Est., Li 58.

190. NAPOLÉON dans un char trainé par quatre
chevaux, reçoit les clés d'une ville. Bois
de Huard à Foix, vers 1810. — B.N., Est.,
Li 58.

*En septembre 1805 il a reçu du préfet Frochot
les clés de Paris à la barrière des Bonshommes
(Passy).*

LE ROI DE ROME ET LA SÉCURITÉ DE LA FRANCE. MOSCOU

1811 - 1812

191. SÉCURITÉ DE LA FRANCE. Gravure de Sixdeniers, chez l'auteur, rue St-Jacques, 1811. – B.N., Est., Qb 1.

Sur la naissance du Roi de Rome, (20 mars 1811).

192. NOUVEAU GAGE DE FÉLICITÉ, gravé par Allais, déposé le 23 mars 1811. – B.N., Est., Qb 1.

L'image a eu grand succès.

193. LA RENOMMÉE ACCOURT..., le Roi de Rome au berceau, gravure anonyme, 1811. – B.N., Est., Qb 1.

Le texte parle du régime désormais "inébranlable." Les images, évidemment préparées d'avance, sont déposées dès le lendemain de la naissance du Roi. Elles sont nombreuses. Citons encore LE SOUHAIT ACCOMPLI, L'ESPOIR DE LA POSTÉRITÉ.

194. PENDULE À L'EFFIGIE DU ROI DE ROME. Bronze doré. Elle s'inspire des gravures d'Allais et de Goubaud, et porte sur le cadran, la marque : "Gentilhomme. Palais-Royal à Paris." – A la Malmaison (MM. 47-8054).

195. NAPOLÉON PRÉSENTANT LE ROI DE ROME, 1811. Groupe de bois sculpté en manière de cire, colorié sur fond de velours et sous verre. – A S.A.I. le prince Napoléon (n° 2535).

Il présente le Roi de Rome au peuple le 9 juin 1811 lors de son baptème, plein de joie et d'orgueil.

On retrouvera en 1814 le thème du Roi de Rome, voir nos 208-210.

196. NAPOLÉON, la veille de la bataille de la Moskowa faisant admirer à sa Garde le portrait du roi de Rome, par Gérard, 7 septembre 1812. Miniature ornant une boîte ronde en écaille. – A la Malmaison (Donation du Prince Georges de Grèce).

L'épisode, qui sera peint par Bellangé, est célèbre. Napoléon déclara ce portrait "admirable" et son fils "le plus bel enfant de France". Il fit placer la toile sur une chaise afin que tous puissent la voir. Il l'accrochera dans sa chambre au Kremlin.

Dès le 21 août, il avait reçu une miniature d'Isabey représentant le Roi de Rome.

Plus tard, le 25 septembre 1820, il recevra encore un portrait de son fils ; il le "reçoit avec transports, l'embrasse, le contemple, le tient dans ses mains" avant de l'accrocher près de la cheminée (Antommarchi).

197. LETTRE DE NAPOLÉON à Marie-Louise sur la présentation à l'armée du portrait du Roi de Rome, 1812. – B.N., Mss., Now. Acq. fr. 12.487, t. 1, n° 89.

25

26

198. ENTRÉE DES FRANCAIS, le 14 septembre 1812, dans la ville de Moscou. Gravure de Charon, chez Jean, déposée le 8 oct. 1812. Gravure, chez Mme Croisey. — B.N., Est., Qb 1.

D'après le texte du MONITEUR du 3 octobre. On remarque la vitesse relative de publication des estampes.

199. PRISE DE LA VILLE DE MOSCOU. Image de Pellerin, à Epinal, 1812. — B.N., Est., Li 59.

200. NAPOLÉON ET SON ÉTAT-MAJOR aux portes de Moscou. Miniature ornant le couvercle d'une boîte rectangulaire en écaille. — A la Malmaison (Donation du Prince Georges de Grèce).

201. MOSCOU EN FLAMMES AU CLAIR DE LUNE. Diorama dans une lanterne en bois sculpté ornée de médailles et d'aigles. — A S. A. I. le prince Napoléon.

202. "VIRGINIE CHESQUIÈRE OU LA NOUVELLE HÉROÏNE FRANCAISE." (La première femme décorée de la Légion d'Honneur). Image populaire de Mme Croisey, Paris, 1812. — B.N., Est., N2.

203. LETTRE DE NAPOLÉON à Marie-Louise évoquant les dessins de Denon sur les campagnes de l'Empereur, 1812. — B.N., Mss., Nouv. acq. fr. 12.487, t. 1.

28

204. ALPHABET DU ROI DE ROME, par J.-C. Jumel. - Paris, 1813, Les pl. seulement. — B.N., Est., Qb 1.

Les illustrations indiquent les principaux thèmes de la légende napoléonienne: Etude des sciences, sage discernement dans un chef (la sentinelle en défaut), l'Humanité, La Religion des Souverains, la Bonté, Amour pour le Souverain, Education militaire, la Générosité, la Clémence, l'Honneur, etc...

205. DÉVOUEMENT DU PEUPLE FRANCAIS. Napoléon le Grand agréant l'hommage du dévouement de ses fidèles sujets, gravé par F. A. David, 1813. — B.N., Est., Qb 4.

Il comptait bien ; dès février 1809, il disait à Roederer : "Je n'ai qu'une passion, qu'une maîtresse, la France ; je couche avec elle, elle ne m'a jamais manqué, elle me prodigue son sang, ses trésors."
Avant la campagne d'Allemagne, Napoléon reçoit de nombreuses preuves du dévouement (le 17 janvier, la ville de Paris lui offre 500 cavaliers montés).

206. "L'ESPOIR DE LA POSTÉRITÉ", gravure déposée le 9 juillet 1813. — B.N., Est., N2.

207. "PONT CASSÉ À GELNHAUSEN LE 29 OCT. 1813" (On voit Napoléon à cheval, au 1er plan, à droite). Dessin à la plume, par Bagetti. — Musée de l'Armée.

Un des derniers dessins de Bagetti, exécuté la veille de la bataille de Hanau.

208. LETTRE DE NAPOLÉON à Marie-Louise la chargeant de faire exécuter la gravure qui suit, 20 février 1814. — B.N., Mss., Nouv. acq. fr. 12.487, t. 3.

Napoléon reçut les premières épreuves et les secondes le 27 février.

209. "JE PRIE DIEU POUR MON PÈRE ET POUR LA FRANCE", le Roi de Rome, gravure déposée par Bance, le 17 mars 1814. — B.N., Est., N2.

Gravure étudiée par Mlle Barbin. On la reprendra pour représenter Louis XVII et le duc de Bordeaux. Sur l'une des nombreuses gravures de ce titre, le Roi de Rome est représenté en garde national parce que, le 24 janvier 1814, Napoléon l'a confié à Garde : "Je vous confie ce que j'ai de plus cher, l'Impératrice ma femme, le Roi de Rome mon fils."

210. "AUX ARMES". Le Roi de Rome, chez Blaisot, 1814. - B.N., Est., N2 (Napoléon II).

211. PROCLAMATION DE NAPOLÉON au Golfe Jouan, le 1er mars 1815. Affiche, Toulouse, mars 1815. — B.N., Est., Qb1.

Napoléon s'adresse à ses soldats, à qui il promet, avec l'honneur et la gloire, l'affection et le respect de leurs enfants ainsi que la protection de leurs biens et de ceux de leurs enfants.

212. "VIOLETTES DU 20 MARS 1815", gravure. — B.N., Est., N2 (Napoléon 1er).

Le 20 mars est la rentrée de Napoléon à Paris. En 1815, l'Empereur est appelé le Père La Violette ; de nombreuses images opposent la violette au lys.

213. "L'UNIQUE PENSÉE DE LA FRANCE", gravure parue chez Delaunay, 3 juin 1815. — B.N., Est., Qb1, mars 1815.

Allusion au retour de Napoléon.

214. "SI QUELQU'UN VEUT TUER SON EMPEREUR, il *le peut*", gravure déposée le 11 mai 1815. - B.N., Est., Qb1, mars 1815.

Le mot célèbre fut dit par Napoléon à Laffrey près La Mure le 7 mars ; il est rapporté dans le MONITEUR du 23 mars ; l'estampe est déposée seulement 40 jours après.
Le thème sera repris en 1835 et 1852.

215. LES BONNES NOUVELLES, aquarelle d'Opiz : un marchand d'estampes sur les Boulevards, février 1815. — B.N., Est., Coll. Hennin, n° 13.531.

On remarque à la devanture un portrait de Napoléon, le Soleil d'Austerlitz, et des Cosaques en Champagne.

216. L'ARC DE TRIOMPHE DU CARROUSEL. Deux aquarelles de Percier, mai 1815. — B.N., Est., collection Destailleur, nos 28 & 29.

au cœur des vrais français." (siège de Paris de 1814). Il demande à cette femme âgée "ce qu'il pourrait faire en sa faveur. *Rien, Sire,* répond cette femme respectable. *Dès ce moment, j'oublie mes malheurs [...] avoir le bonheur, Sire, de toucher votre majesté, est tout ce que je désire.* Elle embrasse avec ferveur les genoux de l'Empereur. Gravure coloriée, chez Martin, Ostervald l'aîné et Boyeldieu, 1815. — B.N., Est., Qb1.

L'anedocte date du 6 mai, lorsque Napoléon visite à Charonne les travaux de défense et l'atelier d'armes. La gravure est déposée le 9 juin, 9 jours avant Waterloo.

217. "TRAIT DE BONTÉ DE L'EMPEREUR". A la barrière de Charonne, il exprime le désir de voir la propriétaire d'une maison "dont l'intérieur rappelait des souvenirs pénibles

218. S.M. L'EMPEREUR PASSANT EN REVUE, le 14 mai, les Fédérés des Faubourgs de Paris. Gravure comportant une légende tirée du MONITEUR du 16 mai 1815. — B.N., Est., Qb1, 1815.

Napoléon quitte Paris pour la campagne de Belgique le 12 juin.

219. "L'ENJAMBÉE IMPÉRIALE". Gravure à l'eau-forte, coloriée. — B.N., Est., Tf.

L'une des plus célèbres caricatures représentant le retour de l'Ile d'Elbe et tournant en ridicule la famille royale.

220. DIALOGUE entre Louis XVIII et Napoléon : "L'Empire après vous, s'il vous plaît ? — Je ne puis, cet enfant [le Roi de Rome] l'a retenu après moi". Gravure à l'eau-forte, coloriée, 1815. — B.N., Est., Tf mat.

221. "HIER. Voltigeurs de Louis XVIII. AUJOURD'HUI. Dragon et grenadier de Napoléon." Gravure à l'eau-forte, coloriée. — B.N., Est., Tf.

Cette estampe, qui date des Cent-Jours, est favorable aux soldats de l'Empereur et ridicule les "voltigeurs" du Roi, aristocrates qui n'ont de militaire que les épaulettes.

L'Unique Pensée de la France.

NAPOLÉON ET LA MÉRE DU GRENADIER.

GEORGIN SC.

QUELQUE temps après son couronnement (en 1804), NAPOLÉON, devenu Empereur des Français, voulut revoir les lieux où il avait fait ses premières études militaires. Accompagné de quelques intimes, auxquels il pourrait communiquer les pensées et les émotions que devaient lui causer les souvenirs de son enfance, il partit pour la Champagne, et se dirigea vers Brienne, où il passa quelques jours, qui ne furent perdus ni pour l'État, aux soins duquel il consacrait chaque jour plusieurs heures, ni pour l'humanité; car il répandit ses bienfaits sur tous ceux qui eurent quelque chose à lui demander, et sur toutes les personnes qu'il avait connues autrefois. — Quelques troupes avaient été réunies sur ce point, l'Empereur en passait souvent la revue. Un jour qu'elles arrivaient au lieu du rendez-vous, un grenadier sort des rangs, va prendre sa vieille mère, âgée de plus de 80 ans, qui était près de là, et la présente à NAPOLÉON. Elle tenait à la main une pétition. « Mon bon monsieur l'Empereur, lui dit-elle, mon fils..... elle ne put achever. — Bien, bien, accordé, répondit le grand homme. Ma bonne vieille, vous aurez votre fils bientôt; en attendant, je vous fais une pension de 600 francs à prendre sur ma cassette particulière. — Merci, mon l'Empereur, » dit le grognard; et il emmena sa vieille mère pleurant de reconnaissance.

Propriété de l'Éditeur. (Déposé.)

DE LA FABRIQUE DE PELLERIN, IMPRIMEUR-LIBRAIRE, À ÉPINAL (Vosges).

LA LÉGENDE

1815 - 1900

LA
GARDE IMP¹ᵉ
MEURT
ET NE SE REND PAS
Juin 1815.

Milan
Turin
Rome
Naples
Vienne
Berlin
Varsovie
Moscou
Madrid

Souvenirs
ineffaçables

Aboukir
Arcole
les
Pyramides
Lodi

Marengo
Fleurus
Jena
Eylau
Austerlitz

Friedland
Vagram
Moscou.
Lutzen
Botzen.

34

WATERLOO

222. "AU COURAGE MALHEUREUX... La
Garde meurt et ne se rend pas", gravure
sur Waterloo (18 juin 1815) - déposée par
Normand le 15 septembre 1815. — B.N.,
Est., Qb 1.

*De nombreuses images sur Waterloo paraîtront :
1817, 1818, 1819. Voir nᵒˢ 246, 247, 248, 250a,
252, 258. Bien entendu, les images célèbres
représentant l'Empereur pendant la bataille ne
datent que d'après 1830.*

222a "NAPOLÉON CAPTIF". Gravure de Jazet
d'après Cœuré. — B.N., Est., N².

*L'Empereur sur le vaisseau qui l'emmène à Sᵗᵉ
HÉLÈNE regarde l'une des gravures intitulées :
LA GARDE MEURT ET NE SE REND PAS.*

223. BYRON. - CHILDE HAROLD'S PILGRI-
MAGE, CANTO THE THIRD, London, J.
Murray, 1816, in-8⁰. - B.N., Impr., Rés.,
Yk. 268.

*Passage célèbre sur Waterloo, et sur la chute de
Napoléon. Byron écrivit aussi le lendemain de
l'abdication de Fontainebleau (10 avril 1814) une
ODE A NAPOLÉON BONAPARTE : ce jour-là il
note dans son carnet : "Boxé une heure. Ecrit une
ode à Napoléon Bonaparte. Recopié. Mangé
6 biscuits. Bu 4 bouteilles d'eau de Selts, et perdu
le reste de ma journée".*

L'AIGLE SEUL A LE DROIT DE FIXER LE SOLEIL

Dédié aux Braves de la Grande Armée.

POURSUITES ET OBJETS SÉDITIEUX – APRÈS 1815

"Napoléon n'est plus le vrai Bonaparte, c'est une figure légendaire composée des lubies du poète, des devis des soldats et des contes du peuple" Chateaubriand.

Henri Monnier apporte son témoignage (à Champfleury) : "J'ai vu la vieille et la jeune garde... l'Empereur se rendant au Champ de Mai et à son départ de l'Elysée... j'en ai vu assez de l'Empereur pour être resté entièrement dévoué à cet ordre de choses comme Charlet, Grenier, Bellangé et Raffet, mes camarades et mes contemporains."

224. DOSSIER DE POURSUITES. 1815-1825. – Arch. Nat., F⁷ 6706.

Poursuites contre les marchands d'estampes, de bustes, de médaillons. Les dossiers contiennent des dénonciations nombreuses, des enquêtes, et des regrets des policiers au sujet de l'indulgence des jurys devant lesquels ils font déférer les marchands.

225a LE RETOUR DU PRINTEMPS ET DE LA VIOLETTE. – B.N., Est., N2. Napoléon Iᵉʳ.

Le profil de Napoléon se devine à gauche de l'image et celui du roi de Rome à droite.

225. LA VIOLETTE, du Printemps chère espérance, Ramène Napoléon à la France. - B.N., Est., N2 Napoléon 1er.

226. POURSUITES contre une gravure représentant la famille impériale, saisie chez "tous les marchands" le 27 septembre 1815 : CE SONT BIEN EUX. – Arch. Nat., F⁷ 6706.

227. "L'AIGLE SEUL A LE DROIT DE FIXER LE SOLEIL. Dédié aux BRAVES DE LA GRANDE ARMÉE". Portrait en buste de Napoléon, de Marie-Louise et du roi de Rome dans un médaillon circulaire soutenu par une aigle aux ailes éployées devant le soleil. Gravure en taille-douce, chez Genty, vers 1815. – B.N., Est., N² Napoléon 1ᵉʳ.

228. DÉNONCIATION A PROPOS D'UNE GRAVURE : L'ESPOIR DE LA FRANCE. VIVE L'EMPEREUR. - Archives nationales, F⁷ 6706.

Elle a été considérée comme séditieuse en 1815, et le 7 août, une lettre anonyme adressée au secrétaire intime du duc d'Otrante raconte : "J'ai ouï plusieurs messieurs qui venaient d'en acheter deux exemplaires" ; comme on disait au marchand qu'il était bien imprudent, il répondit "je l'étale parce qu'on m'en a demandé, j'en ai vendu plus d'une douzaine. Au reste j'ai coupé l'aigle et les mots : VIVE L'EMPEREUR."

229. LOUIS XVIII, statuette, vers 1814-1815. Dans le dos, Napoléon. – A M. Jean François LEMAIRE.

230. "C'EST LE DÉSIRÉ DE LA FRANCE". Objet séditieux en ivoire : les deux montants d'une porte ornée d'une médaille de Louis XVIII s'ouvrent pour laisser voir un triptyque dont la partie centrale est la tête de Napoléon. - A M. Jean-François Lemaire.

231. BOITE SÉDITIEUSE ronde en buis doublée d'écaille avec couvercle orné d'un rébus : "Napoléon [en buste] 20 - Cœur du Monde" et de motifs décoratifs (filligranes d'or, petites perles blanches, etc...) Vers 1815 — A la Malmaison (Donation du Prince Georges de Grèce).

232. BOITE SÉDITIEUSE ronde en bois doublé d'écaille dont le couvercle est orné d'une peinture-rébus : "Paon - C A - Napoléon" - Vers 1814-1815. - A la Malmaison (Donation du Prince Georges de Grèce).

233. BOITE SÉDITIEUSE en nacre, à pans coupés. Le couvercle est orné d'un demi-relief : Bonaparte aux Pyramides (Songez que du haut de ces Pyramides, etc...) et le dessous, d'un demi-relief représentant Saint Louis. Vers 1814-1815. - A la Malmaison (Donation du Prince Georges de Grèce).

234. BOITE SÉDITIEUSE en bois, en forme de tonneau et ornée de fleurs de lys et du monogramme . A l'une des extrémités, le portrait de Louis XVIII en buste (médaillon rond) et à l'autre "Le désiré de la France". à l'intérieur, statuette en os coloriée : Napoléon en tenue de chasseur, assis, l'arme au clair. - A la Malmaison (Donation du Prince Georges de Grèce).

235. LA TÊTE DE NAPOLÉON ornant le pommeau d'or d'une canne ayant appartenu au roi Jérôme. - A S.A.I. le Prince Napoléon (N° 1362).

236. LA TÊTE DE NAPOLÉON formant le pommeau d'ivoire d'une canne. — A S.A.I. le Prince Napoléon (N° 2599).

237. BOITE A SEL ornée de fleurs de lys et d'un aigle. Bois sculpté. — Musée Frédéric Masson (N° 46).

238. TALMA DANS LE ROLE D'ORESTE et portrait de Napoléon sans visage. Deux gravures dont la superposition était destinée à démontrer la ressemblance entre l'acteur et l'Empereur. - B.N., Est., N2. Napoléon 1er.

239. TALMA ET NAPOLEON. Boîte ronde en carton doré : au fond le portrait de Talma. Sur le couvercle, le portrait de Napoléon découpé pour laisser voir le profil de l'acteur. - A la Malmaison (Donation du Prince Georges de Grèce).

240 NAPOLEON ET LE DUC DE REICHS-
240a TADT Tabatière cylindrique en ivoire, ornée de pyrogravures et couteau : d'un côté, le buste de Napoléon, de l'autre le duc de Reichstadt. - Musée Frédéric Masson (Nos 1389 et 1395).

241. RAPPORTS DE POLICE concernant des médaillons séditieux. — Archives Nationales, F^7 6706.

BONAPARTE ET SON FILS, médaillon vendu sur la voie publique, fabriqué chez un ciseleur rue du faub. du Temple, fabriqué par Louis dit Cochon et Griset ; — Napoléon à Ste-Hélène et le duc de Reichstadt, médaillons vendus 2 sols place St-Germain l'Auxerrois par Mielle, ouvrier fondeur, viennent de Léveillé et Poullot, fabricants de jouets d'étain.

LES DÉBUTS DE LA LÉGENDE. DEMI-SOLDE ET GROGNARDS 1817-1821

La glorification de Napoléon étant interdite, l'image exalte le grognard. L'opinion libérale le célébrait ; la Restauration le ménageait, et Mme d'Abrantès (Mémoires, I, 47) raconte que le duc de Berri, ayant entendu, dans une revue, un grognard crier : Vive l'Empereur, *le fit sergent.*

Le livre récent de J. Vidalenc Les demi-solde, *prouve que ceux-ci étaient moins nombreux qu'on le croyait (20 000 en 1815, 5 000 en 1823), la plupart des anciens soldats ayant repris du service.*

242. MANUSCRIT VENU DE SAINTE-HÉLÈNE D'UNE MANIÈRE INCONNUE [par Lullin de Chateauvieux]. - Londres, Murray, 1817, in-8° – B.N., Impr., 8° Lb^{44} 219 A.

Attribué à Mme de Staël, à Barante, Novion le lit chez Mme de Duras (Cf. Lucas-Dubreton, p. 125), on y reconnaît le style de Napoléon qui était censé l'avoir écrit. Celui-ci le lut le 5 septembre 1817, s'y intéressa, et dicta 40 notes rectificatives publiées par Gourgaud en 1821. Le livre sera interdit en France.

243. "VICTOIRES, CONQUÊTES, DÉSASTRES... de 1792 à 1815". – Paris, Panckoucke, 1817-1825, 30 vol. "par une société de militaires et de gens de lettres." – B.N., Est., Qe.

Cette compilation des bulletins de la Grande Armée obtint un "succès prodigieux". Une seconde édition parut, en 34 volumes, de 1828 à 1831 ; une troisième à partir de 1834 (on y explique que Panckoucke voulut en 1817 "consoler la Nation gémissant sous le joug étranger par le souvenir de ses plus brillants... exploits".
Balzac en parle, comme Stendhal (qui fait lire à Lucien Leuwen cette "rhapsodie") et Baudelaire (cf. Lethève et Pichois dans le BULL. DU BIBLIOPHILE de 1956, n° 5). Napoléon l'a reçue en 1819, et s'en est beaucoup servi pour le MÉMORIAL.

244. CHARLET. "COURAGE, RÉSIGNATION, ou les tristes adieux de la Vieille Garde". Lithogr., nov. 1817 (L.C. 68). – B.N., Est., Dc 102.

Charlet (1772-1845) qui allait développer, sous la Restauration et après, la légende napoléonienne, n'est pas un soldat de l'Empire, il fut seulement employé au bureau de recrutement d'une mairie (1813-1815), mais il était en 1814 parmi les défenseurs de la barrière de Clichy. Son père, soldat de la Révolution, lui communiqua son culte de la vie militaire.
Dès 1817, Horace Vernet, camarade de Charlet, représente un Grenadier de WATERLOO blessé

245. TE SOUVIENS-TU, DISAIT UN CAPITAINE AU VETERAN QUI LUI TENDAIT LA MAIN..., chanson de Debraux, 1817. Dans ses Chansons, I, p. 49. - B,N., Impr. Ye. 19.520.

Debraux a fait plus que Béranger, et avant lui, pour la légende napoléonienne. Béranger le reconnaissait : "Ses chansons ont été pour moi un sujet d'étude" ; on l'appelait le Béranger du Peuple. Il mourra poitrinaire et misérable en 1831.
Voir aussi n° 261.

246. CAMPAGNE DE 1815 "écrite a Sainte-Hélène" par le Général Gourgaud. - Paris, Mongie, 1818. – B.N., Impr., 8° Lh⁴. 323.

Ce texte sur Waterloo, bataille que Napoléon ne comprenait pas avoir perdue, fut dicté par lui à Gourgaud. Napoléon le refit en juin 1820, le fit passer à O'Meaa qui le publia à Londres, Paris et Philadelphie sous le titre de MEMOIRES POUR SERVIR A L'HISTOIRE DE FRANCE en 1815. Napoléon lèguera 200.000 francs aux amputés ou blessés graves de Ligny et de Waterloo.

247. "LA GARDE MEURT ET NE SE REND PAS", gravure au pointillé et à la roulette par H. Vernet, chez Ostervald, 1818. - B.N., Est., Dc 137.

La gravure a eu du succès ; un 2e tirage, plus facile à vendre, porte une inscription à la gloire de Louis XVIII. Retirage à Londres.
Horace Vernet (1789-1863) fut, tout jeune, dessinateur au Dépôt de la Guerre, protégé de Marie-Louise et du Roi Jérôme. Décoré en décembre 1814 pour sa brillante conduite à la défense de la barrière de Clichy, il se signala sous la Restauration par ses tableaux et ses dessins retraçant les batailles de l'Empire. En 1817, il expose au Salon "la mort de Poniatovski" ; à celui de 1819 "un grenadier sur le champ de bataille" ; le tableau appartient au duc d'Orléans, futur Louis-Philippe. Vernet sera dit "Peintre National de la France", et le tsar Nicolas II dira que ses "Deux Grenadiers" étaient "à faire battre le cœur". La Restauration ne lui en voulut pas de son opposition, réduite, il est vrai, après 1823 ; en 1825, il est officier de la Légion d'Honneur, en 1826, membre de l'Institut ; en 1828, directeur de l'Ecole de Rome. Napoléon III se souviendra de son rôle, et le fera grand-officier de la Légion d'Honneur en 1862.

247a "LA GARDE MEURT ET NE SE REND PAS". Dessin de Corot (1873) rappelant une lithographie exécutée par lui en 1818, et dont il n'existe pas d'épreuves. – B.N., Est., B 6 rés.

248. CHARLET. LE GRENADIER DE WATERLOO sauvant le drapeau et un blessé, mars 1818 (L.C. 39). - B.N., Est., Dc 102.

249. LA MORT DU CUIRASSIER, lithogr. de Charlet, avril 1818 (L.C. 44). — B.N., Est., Dc 102.

250. MAMELUCK défendant un trompette blessé, lithogr. de Géricault, 1818 (L.C. 4). — B.N., Est., Dc 141b rés.

250a. LES FRANCAIS A WATERLOO. Plaque de bronze doré. - A S.A.I. le prince Napoléon (n° 3341).

251. ILS S'EN VONT, allusion au départ des troupes étrangères annoncé par la Quotidienne, lithogr. de Charlet, 1818 (L.C. 62). — B.N., Est., Dc 102.

Caulaincourt traversant la place du Carrousel occupée par les Alliés, dit à Mlle George, maîtresse de Napoléon : "Hein, ma chère Georgina, quelle jolie promenade pour des Français !".

252. "AVEZ-VOUS LU MON OUVRAGE ? [L'homme gris] - NON, MAIS S'IL TOMBE SOUS MA MAIN IL N'EST PAS BLANC". Dialogue entre un Ultra et un Demi-solde, tandis qu'un autre "officier à demi-solde" regarde, avec "M. Fla Fla", la vitrine de "Canard Mᵈ d'estampes" (il vend des caricatures du Clergé et de la Noblesse et des images vantant l'Armée). Lithographie signée C. et datée de 1819. — B.N., Est., Qb.

On remarque, dans la vitrine la gravure de Jazet d'après Charlet, LE SOLDAT DE WATERLOO.

Objets entretenant le culte de l'Empereur pendant la Restauration.

253. GÉRICAULT. Le factionnaire suisse au Louvre et l'Invalide, lithogr., 1819 [L.D. 15, 2e état. - B.N., Est., Dc 141b rés.

254. CHARLET. LE JEUNE SOLDAT se découvrant devant l'Invalide, août 1819 [L.C. 88. - B.N., Est., Dc 102.

255. JE L'AI GAGNÉE À FRIEDLAND, lithogr. de Charlet, vers 1819-1820. [L.C. 98. - B.N., Est., Dc 103m rés.

256. "LA LAITIÈRE ET LE VÉTÉRAN", titre de musique de Géricault, au Ménestrel, vers 1819 [L.D. 7. – B.N., Est., Dc 141 b rés.

257. "MONUMENS DES VICTOIRES ET CONQUÊTES DES FRANCAIS, recueil de tous les objets d'art... consacrés à célébrer les victoires des Français de 1792 à 1815", chez Panckoucke. 1819-1822. - Collection particulière.

Gravure au trait exécutées sous la direction de Tardieu.

41

258. VIEILLARD MONTRANT LE PORTRAIT DE CAMBRONNE à ses enfants, lithogr. de Charlet vers 1819 [L.C. 81. - B.N., Est., Dc 103 rés.

259. "SERMENT DES ENNEMIS DE LA COLONNE FRANCAISE" (ils s'engagent au service des Eteignoirs que brandit Chateaubriand) et "Heureux temps regrettés par les ennemis de la colonne française". Deux lithographies hostiles aux Bourbons, vers 1819. — B.N., Est., Tf.

La statue de Napoléon au-dessus de la colonne de la Grande Armée avait été descendue le 8 avril 1814. L'Empereur ne devait se dresser à nouveau sur la colonne qu'en 1833.

260. LA COLONNE, 1818, chanson de Debraux, dans ses chansons, t. I, p. 50. — B.N., Impr., Ye. 19.520.

261. "AH ! QU'ON EST FIER D'ÊTRE FRANCAIS QUAND ON REGARDE LA COLONNE". Gravure de Caroline Naudet, d'après Aubry, 1819. — B.N., Est., Qb[1], 20 août 1820.

Souvenir de la poésie de Debraux.

262. COLONNES VENDÔME en bronze, en bois. — A S.A.I. le prince Napoléon (nos 2304-3665).

263. LA COLONNE VENDOME ornant le manche de cuivre d'un canif à une lame. - Musée Frédéric Masson (n[0] 1379).

"J'irai au pied de la colonne de la place Vendôme. Je crierai là : JE SUIS LE COLONEL CHABERT QUI A ENFONCE LE GRAND CARRE DES RUSSES A EYLAU. Le bronze, lui, me reconnaîtra" (BALZAC, LE COLONEL CHABERT, 1832).

264. RAPPORT DE POLICE concernant des saisies 1819-1825. — Archives Nationales, F[7] 6706.

Saisie, le 29 janvier 1819, de petits bustes chez May "ex-sergent de la Vieille Garde" ; – Annonce, le 13 nov. 1819, qu'on a vendu plus de 8000 bustes en quatre jours ; – Commande de 2000 petits bustes de Bonaparte chez un fondeur sur la rive droite du Rhin ; – saisie, le 3 décembre 1825, de médaillons de Bonaparte passage Vivienne ainsi que de bonbons représentant son buste chez un confiseur rue Montmartre ; – le 16 décembre 1825, une note prouve que la vente de tels bustes est autorisée, mais non le cri des marchands : "Achetez le buste de S.M. l'Empereur."

265. RAPPORT DE POLICE CONCERNANT UNE SAISIE. - Archives Nationales F7. 6706.
Saisie le 6 mai 1819 de tabatières séditieuses chez Leblanc et Guérin ; commande de très nombreuses tabatières avec portrait du duc de Reichstadt, à S. Stowasser, (Brunswick) saisie le 20 avril 1822 ; - à la foire de Beaucaire, saisie de tabatière sur le CONVOI FUNEBRE, 22 juin 1822.

266. J'ATTENDS DE L'ACTIVITE. lithogr. de Charlet vers 1820. [L.C. 94. - B.N., Est., Dc 102.

Allusion aux soldats de l'Empire licenciés tandis que les vieux royaliste reçoivent de l'activité.

267. "LA RETRAITE DE MOSCOU", bois de Réveillé, chez Pellerin à Epinal, 1820. - B.N., Est.,Qb1.

Réveillé (1788-1870), soldat de l'empire, a été fait prisonnier en 1812 et a été gardé en Russie jusqu'en 1815, Jean-Charles Pellerin a plus de 60 ans. En réalité, son affaire est menée par son fils Nicolas et par son neveu Vadet, ancien officier de l'Empire, blessé sur le champ de bataille d'Essling. Les Pellerin sont très surveillés, et leur bonapartisme, alors rare dans l'imagerie, leur vaut un procès en 1816. Jusqu'en 1830, il ne pourra presque rien publier.
C'est une des premières pièces sur la légende napoléonienne publiées chez Pellerin. La censure l'a autorisée parce que c'est une défaite, et parce que Napoléon n'y est pas représenté. Elle est distribuée gratuitement, ce qui inquiète l'autorité (cf. le n° suivant).

268. CORRESPONDANCE entre le préfet des Vosges et le Directeur Général de l'Administration Départementale et de la Police, en juin 1821, à propos de la gravure de Pellerin "RETRAITE DE MOSCOU". Pellerin a été autorisé en 1820 à publier et à vendre cette image, mais on s'inquiète du fait que, selon certains, il la répandrait "gratuitement dans les campagnes". Archives Nationales, F⁷. 6918 (dossier 8632).

269. WATERLOO, bois de Georgin, chez Pellerin à Epinal, 1821. - B.N., Est., Qb1.

Accepté par la Censure parce que Napoléon n'y figure pas. Déposé en février 1821, en même temps que les derniers moments du duc de Berry, et octobre 1822. Tiré à 4000 exemplaires.

270. HORACE VERNET, Bataille de Montmirail, 11 février 1814. Gravure d'après le tableau de Versailles. - B.N., Est., Qb mat.

Peinture jugée séditieuse et refusée au Salon de 1821, bien que Napoléon sur son cheval blanc n'y soit "pas plus gros qu'une tête d'épingle", et exposée dans l'atelier de l'article, avec d'autres peintures représentant Napoléon et ses soldats. Le duc d'Orléans vint plusieurs fois visiter l'exposition et y fit des achats.

271. "LES SOUVENIRS D'UN BRAVE"..., qui lit VICTOIRES ET CONQUÊTES, gravure de Charon d'après Aubry, 1821. - B.N., Est., Ef 217.

Fait partie d'une suite qui montre le soldat cultivateur, la sépulture d'un brave, le soldat instituteur.

272. UN SOLDAT DE L'EMPEREUR. Jean Chevalier, paysan berrichon et chasseur à cheval, par P. Chauveau. Préface de G. d'Esparbès, Paris, F. Didot, 1930, in-16, 250 p. - B.N., Impr., 8° Ln². 63.441.

273. LES CAHIERS DU CAPITAINE COIGNET (1799-1815), publiés par Lorédan Larchey d'après le manuscrit original. - Paris, Hachette, 1883. - In-16, 39 - XXXIX - 494 p., fig. - B.N., Impr. Lh3. 105 bis.

Ce texte célèbre a eu une dizaine de réimpressions et rééditions. Il a paru en 1853 sous le titre de : AU VIEUX DE LA VIEILLE.

274. DOMINIQUE FLEURET. DESCRIPTION DES PASSAGES... publiée par son petit-fils, - Librairie de Paris, 1929. In-8°, 163 p. - B.N., Impr., 8° Ln27. 63167.

Raconte notamment comment, après Waterloo, il traverse, en vétéran, la France avec 25 camarades pour rentrer chez lui "sans cesser d'être insultés". Pourtant, nous sommes chez nous, M..."

275. LE SOLDAT LABOUREUR. "Gravure de J.P. Jazet d'après Horace Vernet, chez Jazet et chez Bance et Aumont, 1821. - B.N., Est., AA4 Jazet.

Balzac, dans LA RABOUILLEUSE, évoque "ceux qui se souviennent du déluge de gravures, de paravents, de bronzes et de plâtres auxquels donna lieu l'idée du SOLDAT LABOUREUR, grande image sur le sort de Napoléon et de ses braves, qui a fini par engendrer plusieurs vaudevilles. Cette idée a produit au moins un million. Vous trouvez encore des SOLDATS LABOUREURS sur les papiers de tenture, au fond des provinces".
On jouait, en effet, un SOLDAT LABOUREUR aux Variétés en 1821 (image sur ce sujet par Auguste Toussaint Lecler, S.N.R.). - Voir encore du même Vernet SOLDAT, JE LE PLEURE, soldat laboureur assis à une table, 1821.

276. TÊTE DE FACTURE du général Schmidt, devenu marchand de pierres, lithogr. par Horace Vernet. — B.N., Est., Dc 136.

277. "UN FRANCAIS AUSSI GÉNÉREUX QUE BRAVE SAUVE LA VIE À DES PRISONNIERS RÉVOLTÉS" – Episode de la Guerre d'Espagne. Lithogr. de Lasteyrie, vers 1820. – B.N., Est., Qb mat. 1.

Prépare l'opinion pour la nouvelle guerre d'Espagne.

278. VALEUR ET HUMANITÉ. A la suite d'un combat livré sur les bords du Tage, et au milieu des horreurs d'un champ de bataille, des soldats français trouvent un jeune enfant endormi dans son berceau ; la pitié leur inspire le désir de le sauver. Ils l'emportent, le nourrissent, lui prodiguent les soins les plus touchants [etc]. Gravure de Georgin, chez Pellerin, 1830. - B.N., Est., Li 59, (son modèle est une gravure publ. par Genty, r. St-Jacques, vers 1820).

279. ORNEMENT FRANCAIS, allégorie sur Eugène de Beauharnais, lithogr. par Boucot, vers 1820-22. – B.N., Est., N3 sup. Leuchtenberg.

280. AUX VIEUX GROGNARDS..., ouvrier trinquant avec un grenadier devant le cabaret : AU RENDEZ-VOUS D'AUSTERLITZ, lithographie de Charlet, 1822. – B.N., Est., Dc 103 m rés.

281. "ILE DE SAINTE HÉLÈNE" (Napoléon et son entourage). Gravure sur acier, coloriée, ornant le couvercle d'une boîte ronde en bois. – A la Malmaison (Donation du Prince Georges de Grèce).

NAPOLÉON A Ste HÉLÈNE ET LA MORT DE NAPOLÉON,

PREMIÈRES PUBLICATIONS DES COMPAGNONS D'EXIL. BÉRANGER. 1821-1823

"Lorsqu'en 1821 éclata... la formidable nouvelle de la mort de Napoléon [5 mai, connue à Paris le 5 juillet], il fit de nouveau irruption dans mon esprit. Il revint hanter mon intelligence... comme un spectre que la mort a entièrement changé" Edgar Quinet.

"La censure imposa silence aux journaux ; quelques services funèbres célébrés sans éclat, des portraits, des gravures, des vues de Ste Hélène exposées chez les libraires et les marchands d'estampes furent les seuls témoignages publics de souvenir que toléra la police" Vaulabelle, V, 470. *Napoléon avait compris ce que lui apporterait le martyre et la mort :* *"Des millions d'hommes nous pleurent, la Patrie soupire, et la gloire est en deuil"* (Mémorial)

282. NAPOLÉON vu de dos sur un rocher au bord de la mer et regardant le lointain. Médaillon rond en émail ornant un cadran de montre. - Musée Frédéric Masson (n° 909).

283. UN AIGLE NOIR ornant le cadran d'émail blanc d'une montre sans boitier. — Musée Frédéric Masson (n° 909).

284. NAPOLÉON A SAINTE-HÉLÈNE. Il est en uniforme, de profil à gauche, et porte le petit chapeau. Lithographie d'après un croquis fait à Ste-Hélène au mois de janvier 1818 par le général Gourgaud. - B.N., Est., N2.

285. NAPOLÉON SUR LE ROCHER de Sainte-Hélène. Statuette ornant une pendule de bronze doré ; sur le cadran, médaillon ovale orné du profil de Napoléon en costume impérial. — Musée Frédéric Masson (n° 887).

286. HUDSON LOWE, gravure sur acier de J.M. Fontaine d'après Fremy. — B.N., Est., S.n.r (Fontaine).

"Il est hideux, c'est une face patibulaire...) j'ai vu des Tartares, des Cosaques, des Calmoucks, et je n'ai jamais vu une figure aussi sinistre et aussi repoussante" (NAPOLÉON, dans le MÉMORIAL). Hudson Lowe est arrivé le 15 avril 1816 à Ste-Hélène.

287. ORAISON FUNÈBRE DE NAPOLÉON BONAPARTE". Canard illustré d'une gravure sur bois qui représente, sans aucun souci d'exactitude, Napoléon sur son lit de mort. Paris, imprimerie de Mme Jeunehomme-Crémière, 1821. - B.N., Impr., in-fol. pièce Lb48. 2030.

287a MÉMOIRES DE Mme DE KIELMANSEG-GE. Paris, Attinger, 1828, t. II. — B.N., Imp., Lb44. 1973.

Elle se déclare très affectée de la mort de Napoléon, et dans son testament, elle demande à être vêtue de noir dans son cercueil, "car je suis toujours en deuil depuis le 5 mai 1821, jour de la mort de l'Empereur."

288. NAPOLÉON AU-DESSUS DU TOMBEAU DE SAINTE-HÉLÈNE. Grande tabatière en bois et écaille, incrustée de nacre. — A la Malmaison (Donation du Prince Georges de Grèce).

289. TROIS MAUSOLÉES, couvercles de boîtes. — A la Malmaison (Donation du Prince Georges de Grèce).

290. PETIT TOMBEAU portant l'inscription : "A Napoléon la Patrie reconnaissante", socle rectangulaire en carton, peint en manière de faux marbre, plinthe et corniche en marbre. Sur le sarcophage en velours semé d'abeilles et d'étoiles appliquées, le petit chapeau et les épaulettes de l'Empereur - au-dessus desquels vole une Victoire en métal doré. - A S.A.I. le prince Napoléon (n° 2287).

291. NAPOLÉON EN UNIFORME, la tête couronnée de lauriers, sort du tombeau. Médaillon ovale de bronze doré. - Musée Frédéric Masson (N° 1371).

292. MAUSOLÉE ET PETIT CHAPEAU. Décoration de perles et de nacre sous-verre) ornant le couvercle d'une boite ronde en écaille. - A la Malmaison (Donation du Prince Georges de Grèce).

293. CERCUEIL DE NAPOLEON au milieu des flots dominé par un ange jouant de la trompette. Groupe en bronze et marbre jaune. - Musée Frédéric Masson (N° 1539).

294. "A L'AMITIÉ", Boîte ronde en écaille cerclée de métal doré. Sur le couvercle et sous verre statuette de Napoléon en argent sur des petites écailles de nacre et sous un saule pleureur en perles. - A la Malmaison (Donation du Prince Georges de Grèce).

295. "REPAS DE CORPS" ou "Epoque Mémorable de 1821". Un ecclésiastique et des aristocrates des deux sexes dévorent le cadavre de Napoléon, tandis que la Renommée, se protégeant à l'aide du bouclier des victoires de l'Empereur, essaie de tuer de sa lance le corbeau de ces nécrophages. Lithogr. publiée à Londres, chez Hullmandel, 1821. - B.N., Est., Tf.

296. "TESTAMENT DE NAPOLÉON". "Canard" publié à Paris, chez Julienne et illustré d'une lithographie représentant Napoléon en buste et le tombeau de Ste-Hélène. - B.N., Est., Collection Hennin, n° 14.091.

Cette feuille eut une diffusion considérable entre 1821 et 1832.

297. LE 5 MAI [1821] CHANT SUR LA MORT DE L'EMPEREUR NAPOLÉON, musique de Berlioz, paroles de Béranger, dédié à Horace Vernet, éd. Réchault, 1822. – B.N., Mus., Vm⁷. 2218.

Première chanson de Béranger en l'honneur de Napoléon.
Béranger s'est "dérobé à la conscription" sous Napoléon comme il le disait lui-même, grâce à sa faible vue et surtout à sa calvitie précoce qui a fait croire qu'il avait dépassé l'âge de la conscription (Touchard) ; il s'était montré indifférent à la chute de Napoléon en 1815, il avait résisté aux sollicitations de son ami le poète Debraux en 1817. Mais il fut touché par la mort de l'Empereur. Il l'apprit chez son ami Brack en compagnie de Vernet, le 6 juillet 1821, et il dut soutenir le colonel Bro, saisi d'émotion. Cette émotion fut générale et Savinien Lapointe, par exemple, raconte que son père, pauvre ouvrier cordonnier n'ayant chez lui que 10 francs, courut acheter un gilet noir, dès qu'il connut la nouvelle.

298. CHANSONS DE BÉRANGER, 1821. – B.N., Impr., Ye. 10.896 - 10.897.

Paru le 15 octobre 1821, publié par souscription, tiré à 10.500 exemplaires, le volume fut saisi le 27 octobre à cause de la chanson : LE VIEUX DRAPEAU. Béranger passa en justice le 8 décembre, et fut condamné à 9 mois de prison. L'opinion fut émue, des troubles eurent lieu au Quartier latin, Béranger était lié avec Charlet qui fera son portrait.

299. "NAPOLÉON EN EXIL" par O'Méara, traduit de l'anglais par Mme Fanny Collet. – Paris, chez les marchands de nouveautés, 1822, 2 vol. in-8°. – B.N., Impr., 8° Lb⁴⁸. 1961.

O'Méara, Irlandais, chirurgien sur le Bellérophon, resta à Ste-Hélène jusqu'au 25 juillet 1818. Il a commencé par renseigner Hudson Lowe, puis est devenu l'homme de Napoléon à la fin de 1817. Il écrivait dans sa chambre aussitôt après avoir entendu parler l'Empereur, recopiait, et envoyait son manuscrit à Londres à son ami Holmes (GONNARD).

299a "MÉMOIRES POUR SERVIR À L'HIS-TOIRE DE FRANCE SOUS NAPOLÉON" par le baron Gourgaud. Paris, Didot, 1823, 2 vol. in-8°. – B.N., Impr., 8° Lb44. 225.

Officier d'ordonnance de Napoléon qui lui sauva la vie deux fois, il "étale sa sincérité" et sa vanité dans ses souvenirs, dit Gonnard, selon lequel ces mémoires contiennent des "textes décisifs sur les idées libérales de Napoléon en 1815", et ont aidé à réconcilier la bourgeoisie libérale avec l'impérialisme.

300. CHARLET. VIEUX SOLDAT A GENOUX SUR UNE TOMBE, en l'honneur de la mort de Napoléon, imp. Villain, 1823. [L.C. 365. - B.N., Est., Dc 103 rés.

301. RAPPORT DE POLICE sur un Indien du nom de Mendès qui habitait l'Hôtel de Castille, rue de Richelieu, en 1823, et vendait à Paris une gravure représentant le roi de France "essayant inutilement de chausser les bottes de Bonaparte", copie d'une ancienne caricature "renouvelée par les Anglais qui habitent la Capitale". – Archives Nationales, F⁷ 6706.

302. "OLD BUMBLEHEAD THE 18ᵗʰ TRYING ON THE NAPOLEON BOOTS". Prêt à entreprendre l'expédition d'Espagne, Louis XVIII essaye vainement d'enfiler les bottes de Napoléon. Le duc de Reichstadt lui propose de les essayer aussi. Gravure de Cruikshank, chez Jul. Fairburn, à Londres, février 1823. – B.N., Est., Tf 503

Cette gravure est sans doute celle que vendait l'Indien Mendès en 1823.

303. "LA BARRIÈRE DE CLICHY". gravure de
Couché fils et Bovinet d'après Horace
Vernet, 1823. - B.N., Est., Dc 137, t. II.

*Le tableau de Vernet est peint en 1820. On y
reconnaît Charlet amorçant son fusil, Moncey
donnant des ordres, à Odiot, commandant de la
IIe Légion de la Garde Nationale (qui a commandé
le tableau et l'a payé 4.000 francs), Bertin,
Alexandre de Laborde. Les libéraux appelaient
alors cette défense de Clichy "les Thermopyles de
Paris".*
*Le tableau a déjà été en 1822 gravé par Jazet qui
gravera aussi LES ADIEUX DE FONTAINE-
BLEAU, en 1824.*

304. VICTOR HUGO. A l'Arc de Triomphe de
l'Etoile, 1823, paru dans les *Odes et
Ballades*. — B.N., Impr., Rés. p. Ye. 474.

Thèmes de : Napoléon-Cyclope, Napoléon-Titan.

305. "MÉMORIAL DE SAINTE-HÉLÈNE", par
Las Cases. — Paris, chez l'auteur, 1823. 8 vol.
in-8°. — B.N., Impr., 8° Lb^{48}. 1954.

*Las Cases (1766-1842) a suivi fidèlement
l'Empereur qui lui a écrit: "Votre conduite à
Ste-Hélène a été comme votre vie, honorable et
sans reproche".*
*Le MÉMORIAL va du 20 juin 1815 au 25 novem-
bre 1816. Il a été saisi à Ste-Hélène par Hudson
Lowe, et n'a été rendu à son auteur qu'en 1821.*
*Gonnard estime que Las Cases est un excellent
avocat, avec de l'esprit, de la conversation, de la
sensibilité, des trouvailles de style.*
*Il montre comment Napoléon travaille : il fait
préparer la rédaction, puis il dicte, son collaborateur emporte le travail, et le met au point. Le
lendemain, Napoléon le reprend, et redicte ; une
troisième dictée est corrigée à la main par
l'Empereur. Celui-ci ne dispose guère, lorsqu'il
travaille, que du MONITEUR (1793-1807), de
VICTOIRES ET CONQUÊTES, et de ses souvenirs.*

SOUS CHARLES X. L'ANECDOTE 1824-1829

Retour à un certain libéralisme, on revoit Napoléon. Jal, pourtant libéral, pense que les images ne présentent pas un grand danger : "Croyez-vous que les images de Napoléon et de Ney auraient causé un bien grand trouble aujourd'hui ? Leur présence dans un tableau n'exercerait aucun empire sur les esprits, elle pourrait donner matière à quelques réflexions philosophiques, voilà tout".

C'est aussi en 1826 l'avis de Leclère (Pensées politiques) : "Les bonapartistes purs n'existent plus que pour mémoire. Il reste beaucoup d'admiration pour leur ancien chef, mais elle est sans arrière-pensée."

Alors apparaît l'anecdote, tirée des témoignages publiés ;

306. AUGUSTE DE CHAMBURE, Napoléon et ses contemporains, illustré par Deveria, Charlet, Lami, Steuben, Scheffer, Jazet, 1814. – B.N., Impr., Rés., Lb^{44}. 65 A.

L'auteur du texte, surnommé LE DIABLE à la tête de sa compagnie franche, l'Infernale, sera décoré en 1830.

307. LE CAFÉ LAMBLIN au Palais Royal, aquarelle de L. Boilly (Salon de 1824.) – Musée Carnavalet (don Cognacq).

Ce café était le rendez-vous des demi-solde qui y luttaient contre les royaliste comme l'exprime Vatout dans les vers suivants :
"Coblentz en cheveux blancs lutte contre Austerlitz. L'aigle en demi-solde est le rival du lis".

308. "MÉMOIRES DU DOCTEUR F. ANTOMMARCHI", ou "LES DERNIERS MOMENTS DE NAPOLÉON". Paris, Barrois l'aîné, 1825, 2 vol. in-12 et atlas. – B.N., Impr., Lb^{48}. 1964 A.

Corse, né en 1789 ; en 1819 le chambellan de Madame Mère lui propose de remplacer O'Meara ; il quitte Rome le 30 mai 1821.
Gonnard le trouve "vaniteux, creux".

309. "LA REVUE DU GÉNÉRAL BONAPARTE, PREMIER CONSUL, DANS LA COUR DES TUILERIES en 1800," d'après le dessin d'Isabey (1800) et de Vernet, gravé par Mécou et Pauquet, en 1826. - B.N., Est., AA 6 rés. Mécou.

Delécluze, dans son JOURNAL (24 mars 1828) insiste sur l'intérêt de cette gravure "qui vient de paraître il y a 3 ou 4 mois".

310. VICTOR HUGO. Première Ode à la Colonne, parue dans les DÉBATS du 9 février 1827, publiée dans les ODES ET BALLADES. - B.N., Impr., Rés. p. Ye. 474.

Hugo donnera dans les CHANTS DU CREPUS-CULE (1835) la seconde ODE A LA COLONNE (1830).

311. "NAPOLÉON A WATERLOO", lithogr. par Raffet, 1827. Déposée le 20 mars 1828. [Giacomelli, 60. — B.N., Est., N².

Variante d'un "NAPOLÉON A BAR-SUR-AUBE", première pièce de Raffet sur Napoléon.

312. "WATERLOO", lithogr. par Raffet d'après Steuben, 1828. Déposée le 31 août 1829. [Giacomelli, 63. — B.N., Est., N².]

Steuben, élève de Gérard, travaillera pour Napoléon en 1812, mais n'exposera ensuite de sujets napoléoniens qu'à partir de 1835 (dont son WATERLOO).
Pendant d'une pièce d'après Gautherot sur Napoléon recevant le serment de ses soldats à Augsbourg, et où l'aigle du drapeau fut remplacé, par ordre, par un fer de lance.
Casimir Delarigne publie en 1828 la poésie : LA BATAILLE DE WATERLOO.

313. BÉRANGER, Chansons, 2e recueil. Paris..., 1828. — B.N., Impr., Ye. 10.907.

C'est ici que paraissent les plus célèbres chansons de Béranger, celles sur le Napoléon du Peuple (Parlez-nous de lui, grand-mère ; Il s'est assis là, grand-Mére, etc). Béranger, qui tenait à être jugé et condamné, passa en jugement le 9 mai.
Il s'était inspiré de Debraux (nᵒ...), Debraux maintenant s'inspirera de lui (PARLEZ-NOUS DE LUI, GRAND-MERE).

314. BÉRANGER. Chenets le représentant, - Collection particulière.

Touchard a étudié de façon très intéressante l'iconographie de Béranger qui s'est occupé personnellement de l'image qu'il voulait laisser à la postérité (en 1828 celle d'un penseur ; en 1834, celle d'un sage).

NAPOLEON à WATERLOO.

315. LA VIEILLE DE BÉRANGER montrant à ses enfants une statuette de Napoléon. Demi-relief en ivoire ornant le couvercle d'une boîte rectangulaire en bois clair doublé d'écaille. — A la Malmaison (Donation du Prince Georges de Grèce).
[*Voir aussi n° 60.*

316. COMPOSITION de Michel Brunet évoquant la chaumière de la Vieille.

317. BÉRANGER. Œuvres complètes. Nouvelle édition revue par l'auteur contenant 53 gravures sur acier d'après Charlet, A. de Lemud, Johannot, Grenier, Jacques, Pauquet, Raffet etc... - B.N., Est., Tc 65, 2 vol in-4⁰.

Dans le t. 2, on remarque le poème "Les deux grenadiers" (avril 1814) qui évoque le départ pour l'île d'Elbe.
Perrotin sera l'éditeur de Béranger qui lui cède la propriété de ses œuvres en échange d'une rente. Il fera fortune.

318. NAPOLÉON en buste avec le petit chapeau et la redingote grise (Portrait s'inspirant des dernières miniatures d'Isabey). Miniature ornant le couvercle d'une boîte ronde. - A la Malmaison (Donation du Prince Georges de Grèce).

319. CRUCHE EN "DELFT" en forme de Napoléon debout la main gauche dans le gilet. - Musée Frédéric Masson (N⁰ 1648).

320. NAPOLÉON ASSIS, les bras croisés, sur un tabouret orné "à l'égyptienne". Statuette de bronze doré. - Musée Frédéric Masson (N⁰ 1486).

321. BONAPARTE A ARCOLE (d'après Horace Vernet). Miniature ornant le couvercle d'une boîte ronde en bois teinté noir. - A la Malmaison (Donation du Prince Georges de Grèce).

322. "VIVE NOTRE EMPEREUR" et "Gloire à Napoléon", pot à tabac. - Musée Frédéric Masson (N⁰ 1621).

323. "NAPOLÉON". Gravure anonyme, chez Dubreuil, 1828 (avec le cachet d'autorisation du Chef de la Librairie). - Collection particulière.

324. PROCLAMATION A L'ARMÉE D'ITALIE. Bonaparte au Pont d'Arcole et entrée de Bonaparte à Milan. Quelques lés d'un papier peint, "Les Campagnes des Armées Françaises en Italie" par Dufour, vers 1828. - A la Malmaison (Don Follot).

325. UN BIVOUAC. Gravure de Maile, 1828, d'après Charlet, 1824. — B.N., Est., N². (Napoléon 1ᵉʳ).

326. LE PETIT CHAPEAU, l'épée, la Légion d'Honneur et les lauriers sur un tombeau portant l'inscription : "Souvenir". Gravure pour le couvercle d'une boîte de poudre de Bidault et Dumontelle, 1828. - B.N., Est., Li mat.

327. "ESPRIT DE NAPOLÉON", "Nectar des braves", "Bonaparte", "Liqueur des Grognards". Quatre étiquettes de liqueur, 1828. — B.N., Est., Li mat. 28.

Les deux premières étiquettes illustrent deux thèmes de la légende napoléonienne : "On n'passe pas et "Après vous, Sire". Derrière "Bonaparte" sont alignés des grenadiers de la Garde. Les noms des victoires qu'ils ont remportées ensemble (Lodi - "Moscova") sont inscrits sur des banderoles au-dessus du portrait.

328. ON N'PASSE PAS", gravure de Debucourt d'après Charlet, 1828 - B.N., Est., Dc 102.
Très souvent copiée jusque vers 1832.

329. SIX IMAGES sur ce thème, déposées en 1828. — B.N., Est., Qb[1].

Il s'agit de la sentinelle en faction devant la maison où Napoléon passa la nuit à Ebersberg, à la veille de la prise de Vienne. Cette sentinelle, le conscrit Coluche, fut décorée par Napoléon. Il fit campagne jusqu'en 1814, puis se retira à Nangis, il y était aubergiste à l'enseigne de : ON NE PASSE PAS. Il mourut en 1867 après avoir été présenté à Napoléon III ("J'ai bien connu votre oncle, nous avons beaucoup voyagé ensemble").

330. BARTHÉLÉMY ET MÉRY. Napoléon en Egypte, le fils de l'Homme..., 1828. — B.N., Impr., Y t h. 2946.

Barthélémy fut condamné à 3 mois de prison le 29 juillet 1829 ; il s'était défendu lui-même, et en vers (Cf. Lucas Dubreton, p. 264).

331. AFFICHE pour la 4e éd., chez Perrotin. — B.N., Est., N 3.

LOUIS-PHILIPPE. LA MORT DU ROI DE ROME (1832).
LE NAPOLÉON DU PEUPLE : 1830-1839

Louis-Philippe favorise le développement de la légende napoléonienne, selon lui sans gravité politique (Dès 1822 il avait encouragé Horace Vernet ; il avait dans ses bureaux le jeune Dumas, fils d'un général d'Empire).

Cette légende est favorisée par les souvenirs des vétérans : "Dans les villes, dans les campagnes, il n'est guère de famille où on ne conserve un sabre d'honneur, une épaulette, une croix gagnée sur le champ de bataille. Dans les châteaux comme dans les chaumières, on se groupe autour du vétéran de la Grande Armée pour écouter ce qu'il sait de Napoléon" (Marco St Hilaire).

Les jeunes gens, les romantiques sont très passionnés par ces souvenirs héroïques et par les images qui les représentent. Arsène Houssaye assure, à propos des images populaires que "ces simples images nous en disaient plus que nos professeurs."

Napoléon avait légué 1 000 frs à Marbot en l'engageant à "continuer à écrire pour la défense de la gloire des armées françaises", mais les Mémoires du Général ne paraîtront qu'en 1891. Son neveu est l'auteur de recueils appréciés de costumes militaires.

332. THE LIFE OF NAPOLEON BUONAPARTE par W. Hazlitt, (1778-1830), Londres, E. Wilson, 1828-1830, 4 vol. — B.N., Impr., 8° Lb^{44}. 74.
Ecrit d'après des informations recueillies à Paris en 1826 et 1828 auprès de personnes ayant connu l'Empereur.

333. SIRE, C'EST A AUSTERLITZ que j'ai été démoli, lithogr. de Charlet, 1829. [L.C. 321. — B.N., Est., Dc 102.

334. ADIEUX DE FONTAINEBLEAU, 1814, gravé par Jazet d'après Horace Vernet, 1829. Aquatinte. — B.N., Est., AA^5 Vernet.

Vernet s'est inspiré du MANUSCRIT DE 1814 du baron Fain (1824), p. 405-407.

335. LES ADIEUX DE NAPOLÉON à Fontainebleau - sur fond de feuillage. Demi-relief en bois colorié sous un verre bombé. - A S.A.I. le prince Napoléon.

336. CIRCULAIRE aux Préfets français, 8 sept. 1829. — Archives Nationales, F^{18}.

Elle accepte les images où Napoléon figure comme général, mais non "les portraits et gravures qui représentent Bonaparte sous toutes ses formes... Vous repousserez également les lithographies qui n'ont pour objet que de rappeler à l'imagination et à la mémoire des peuples les insignes, et les souvenirs d'un pouvoir illégitime. Il s'agit d'un raidissement de la censure.

57

337. "Tirez sur les chefs et les
CHEVAUX...", lithogr. de Raffet sur le
28 juillet 1830. Giacomelli, 75. — B.N.,
Est., Dc 189.

*On remarque que l'ouvrier forgeron a remis son
habit de grenadier de la garde impériale. On cite
aussi l'anecdote suivante : "Va dire à ton Colonel
qu'un vieux soldat d'Arcole t'a désarmé."*

338. Napoléon Ier, Empereur des Français.
imp. Pellerin., 1830. — B.N., Est., N².

339. Lettre de Béranger à Thiers, 1833.
— B.N., Mss., papiers Thiers.

*Recommandation en faveur du fils d'un soldat de
Waterloo.*

340. Manzoni. Il cinque maggio, Ode de
Manzoni traduite..., Paris, impr.
Fournier, 1830, In-80, 13 p. - B.N., Impr.,
Yd. 9359.

*Albert Montémont en a donné une autre traduc-
tion en vers français en 1821.*

340a Deux personnages en costume
1830 admirant dans un parc la statue de
Napoléon. Un ballon (une perle et des fils
d'or) plane au-dessus. Composition allégorique de gravures découpées de mousse, de
fleurs en tissu, etc... L'ensemble orne le
couvercle d'une boîte ronde en carton
gaufré. — A la Malmaison (Donation du
prince Georges de Grèce).

341. Le fusiller Sacot ; affiche du Cirque
olympique par Charlet, parue dans la
CARICATURE, 3 févr. 1831. [L.C. 460.
— B.N., Est., Dc 102.

342. "SIRE, vous pouvez compter sur nous comme sur la vieille garde", par Raffet, chez Gihaut. Lithogr. déposée le 21 mars 1831 (Giacomelli n° 345). — B.N., Est., Qb¹ 2 mai 1815.

343. MORT ET APOTHÉOSE DE NAPOLÉON II, image de Metz, 1832. — B.N., Est., Qb¹.

Correspond au n° 8649 de la collection De Vinck.

344. DERNIERS MOMENTS du fils de Napoléon, image de Metz, 1832. — B.N., Est., Qb1.

Pellerin a publié en avril 1833 les DERNIERS MOMENTS DE NAPOLÉON II.

345. LA TOMBE... mort du Roi de Rome, chez Dubreuil, 1832. — B.N., Est., N2 (Napoléon II).

La même année, Tassaert a fait une gravure presque semblable intitulée "DE LA TOMBE AU BERCEAU" (De Vinck 8666).

346. COLONNE EN SULFURE, avec un bouchon surmonté d'une statue de Napoléon (dans le genre de celui de Seurre) en verre moulé vert. Le fût ressemble à la colonne du camp de Boulogne. - A la Malmaison (Donation du prince Georges de Grèce).

347. NAPOLÉON en costume de Sacre. Statuette en plâtre colorié. — A S.A.I. le prince Napoléon.

348. "LES CONTES BRUNS" par une tête à l'envers. C'est-à-dire Balzac, Philarète Charles et Rabou . - Paris, Urbain Canel et A. Guyot, 1832. In-80. - B.N., Impr., Rés. Y². 3030.

Tirade sur Napoléon. La duchesse d'Abrantés est à l'origine de l'intérêt de Balzac pour Napoléon. Cette femme, dit-il, a vu Napoléon enfant. Elle est pour moi comme un bienheureux qui viendrait s'asseoir à mes côtés après avoir vécu au ciel près de Dieu".

349. "JE SUIS LE COLONEL CHABERT, MORT A EYLAU", lithogr. de Menut, 1832. — B.N., Est., DC 270 d.

Souvenir de la pièce de théâtre.

350. "LE MÉDECIN DE CAMPAGNE", par Balzac. — Paris, Mme Delaunay, 1833. 2 vol. in-8°. — B.N., Impr., Y². 1274.

Publié en septembre 1833. La 2e éd., chez Werdet, se vendit en huit jours. Une édition illustrée parut en 1842. Reprise du thème du Napoléon du Peuple.

351. ALFRED DE MUSSET, CONFESSION D'UN ENFANT DU SIÈCLE. — B.N., Impr., 8° Y². 1472.

"Un seul homme était en vie alors en Europe..."

352. STENDHAL La Chartreuse de Parme. — B.N., Impr., Y². 1308.

Stendhal, qui avait suivi la campagne de Russie et de Borodino, s'est peut-être inspiré de certains souvenirs personnels dans sa célèbre évocation de la bataille de Waterloo. Mais, surtout, la façon dont Fabrice décide de partir pour la guerre et les raisons qu'il donne pour aller offrir à Napoléon "le secours de [son] faible bras" évoquent bien la légende napoléonienne en 1815 et l'amour des Italiens pour le "grand homme" ("Il voulait nous donner une patrie"...).

353. LA SILHOUETTE DU POSTILLON (C'est Napoléon Iᵉʳ, dont le chapeau de postillon est tombé par terre pendant qu'il s'assoupissait. Un gamin dessine la silhouette que trace sur le mur la chandelle posée sur la table auprès de l'Empereur). Lithogr. d'H. Bellangé, 1832. – B.N., Est., N².

353a BELLANGÉ. "Tenez, voyez-vous Mr le Curé, pour moi, le v'là... l'Père éternel." L'ancien grognard faisant admirer le portrait du "Petit Caporal". Pl. 7 du 13ème Album lithographique de Bellangé, 1833. – B.N., Est., Dc. 175 c, t. 4.

Peint notamment Le dernier carré à Waterloo, 1849 (musée d'Amiens), Une charge de cavalier à Marengo, 1847 (musée de Rouen).

354. "GRENADIER, ne te donne pas tant de peine, je suis au milieu du peuple, grav. anonyme chez Dopter, 1833. – B.N., Est., Qb1, 23 mars 1815.

Voir De Vinck 9472.

355. CAMP DE BOULOGNE..., 1805, lithogr. de Bellangé, 1833. – B.N., Est., Dc 175.

D'après VICTOIRES ET CONQUÊTES, t. XV, p. 80.

356. NAPOLÉON. Miniature signée au verso "Couvert pinx. d'après David. 1833", sur le couvercle d'une boîte ronde en écaille blonde ornée d'une bordure en strass. – A la Malmaison. (Donation du Prince Georges de Grèce).

357. MASQUE DE NAPOLÉON rapporté par Antommarchi, gravure de Calamatta, 1834. — B.N., Est., Eb 46.

"La gravure, acte d'opposition, eut grand succès ; elle était, encadrée, chez tous les anciens officiers et chez les libéraux de la Restauration" (Charles Blanc, dans G.B.A., 1869, II, 99).
Balzac en possédait un exemplaire.

358. "LETTRE DE FEU NAPOLÉON FRANCOIS à sa Majesté Louis Philippe Ier, Roi des Français". Canard illustré d'un portrait du duc de Reichstadt, chez Garson, 1834. - B.N., Impr., In-fol. pièce Lb⁵¹. 1226.

358a "NAPOLÉON AUF SEINEM GRABE WANDELND." Copie allemande d'une des gravures de 1834 représentant l'ombre de Napoléon visitant son tombeau. — B.N., Est., N2.

Le commentaire de la gravure du même thème publiée par Jouy à Paris (Qb 1) précise : "Les évènements de Juillet, qui ont eu tant de retentissement dans toute l'Europe, n'avaient point été étrangers au sol de Ste Hélène, en Juillet 1832. Un navire français toucha cette île, les forts saluèrent avec enthousiasme le drapeau tricolore [...] Le lendemain de son débarquement le capitaine et un de ses officiers plantèrent ce drapeau [...] sur le tombeau de Napoléon. Au moment où ils déposaient sur la pierre sépulcrale une couronne de laurier, l'ombre du grand'homme apparut entre les saules pleureurs et sembla venir jouir encore de l'hommage que lui rendaient des cœurs français."

359. NAPOLÉON et la mère du grenadier, image
d'Epinal, par Georgin, 12 février 1834. -
B.N., Est., Li 59.

360. "APRÈS VOUS, SIRE...". Gravure en taille
douce, chez Schira, épr. coloriée. - tableau -
pendule. - Musée Frédéric Masson
(Nᵒˢ 1411-218).

361. "APRÈS VOUS, SIRE...". Papier peint. -
B.N., Est., Li rés.

362. "APRÈS VOUS, SIRE...". Groupe en bois
colorié. — A S.A.I. le prince Napoléon
(N° 2303).

363. CHACUN SON MÉTIER, bois de Georgin,
chez Pellerin à Epinal, vers 1834. — B.N.,
Est., Li 59.

Inspiré d'un Charlet.

364. APOTHÉOSE DE NAPOLÉON. Bois de
Georgin et J.-B. Thiébault, chez Pellerin
à Epinal, 1834. — B.N., Est., Li 59.

365. LE REPOS CHEZ LA VIEILLE. Groupe en
terre cuite, vers 1895. - Musée Frédéric
Masson (N° 38).

366. LES SOUVENIRS DU PEUPLE, chanson de
Béranger, chez Dembour, à Metz, vers 1835.
- B.N., Est., Qb1. 1814.

Imitation de NAPOLÉON CHEZ LA VIEILLE.

367. VICTOIRES ET CONQUÊTES DE
NAPOLEON, Broussard fecit, 1835. - B.N.,
Est., Qb4.

368. "RETRAITE DU BATAILLON SACRÉ A
WATERLOO", lithogr. de Raffet, 1835.
[Giacomelli, 80. - B.N., Est., Dc 189.

*La pierre n'a tiré que 150 épreuves. Raffet a litho-
graphié des affiches en 1835 et 38 pour "Napoléon
en Egypte" de Barthélemy et Méry et pour le
"Napoléon" de Norvins. Il a illustré le "Napoléon
en 24 sujets" chez Decrouon, 1829.*
*Quoi qu'on puisse croire, Raffet n'a consacré
qu'une très petite partie de ses 481 lithographies et
de ses 1074 illustrations à la légende napoléonienne, mais ses œuvres ont une telle force expressive
que sa vingtaine de lithos napoléoniennes ont été et
resteront célèbre.*

368a "VOUS ÊTES GRAND COMME LE
MONDE". (Kléber à Bonaparte en Egypte).
Bois de Georgin, chez Pellerin à Epinal,
vers 1835. — B.N., Est., Li 59.

369. "LE VIEUX SOLDAT ET SA FAMILLE",
lith. de Jazet d'après Bellangé, 1835.
5 Béllangé. - B.N., Est.,

Voir les petits plâtres nos 137-138.

370. "VOILA LA PLUS CUITE, MON EMPE-
REUR", chez Turgis, 1835. - B.N., Est.,
Qb1. 1807., 7 février.,

370a U N   É P I S O D E   D E   L A   C A M P A G N E   D E
RUSSIE, peinture de Charlet, 1836. — Musée
de Chalon sur Saône.

*"Il l'a intitulé Episode, et c'est une grande
modestie. C'est tout un poème..." Musset. L'œuvre
est admirable "par sa naïveté" Bellangé. — Cf.
J. Auberty, CHARLET, 1950, p. 13-15-16.*

371. L'HOMME DU PEUPLE, par Raffet, chez
Gihaut (Album de 1836) Giacomelli n° 412.
— B.N., Est., N², Napoléon Ier.

372. "ALMANACH pour 1837, calendrier des
Braves tout pour le Peuple", Pellerin, 1836. -
B.N., Est., Pa mat.

373. "LA REVUE NOCTURNE", lithogr. par
Raffet, n° 12 de l'Album lithographique
de 1837. [Giacomelli, 429. - B.N., Est.,
N2.

*"C'est la grande revue - qu'aux Champs-Elysées - à
l'heure de minuit - tient César décédé". - D'après la
ballade de Steidlitz traduite dans le "Napoléon en
Egypte" de Barthélemy et Méry, 1835.*

374. "GLOIRE MILITAIRE DE NAPOLÉON",
carte entourée de tableaux, à Troyes, chez
Bouquot, 1838, - B.N., Est., Q mat. grand
format.

375. NAPOLÉON DE DOS, les bras croisés,
regarde une bataille. Miniature ornant le
couvercle d'une boite en écaille. - A la Malmaison (Donation du Prince Georges de
Grèce).

376. Napoléon dans une bataille.
Lithographie coloriée sous verre : pendule -
tableau. — A S.A.I. le Prince Napoléon
(N° 2524).

377. Bonaparte a Arcole. Porcelaine
peinte de style naïf. — A S.A.I. le prince
Napoléon. (N° 2173).

378. Napoléon près d'un canon. Petite
porcelaine peinte de style naïf. — A S.A.I.
le prince Napoléon (N° 3067).

379, Napoléon tirant un canon. Groupe
380. de bronze vert sur un socle de bois noir
reposant lui-même sur un socle de peluche
rouge. — Napoléon le pied sur un boulet,
agrafe. — Musée Frédéric Masson. (Nos 883
1157).

381. Napoléon consultant la carte
de l'Europe. Statuette en plâtre colorié.
Reproduction populaire de la statuette de
Mutony dont un exemplaire se trouvait dans
le salon bleu à l'Elysée. - A S.A.I. le Prince
Napoléon.

382. Des soldats et Napoléon au
bivouac (représenté plusieurs fois). Jeu
sur pivot. - A S.A.I. le prince Napoléon
(N° 3334).

383. Napoléon et l'invalide (Il n'a plus
ni bras ni jambe) : "Sire, il n'y a plus que
la tête à vous offrir". Réponse : "Va te
reposer aux Invalides." Groupe de bronze.
— Musée Frédéric Masson (N° 1275).

384. NAPOLÉON ET LES ENFANTS DE LA VIVANDIÈRE. Fixé sous verre ornant le couvercle d'une petite boite rectangulaire à pans coupés en bronze doré. - A la Malmaison (Donation du Prince Georges de Grèce).

385. NAPOLÉON RECEVANT UNE SUPPLIQUE, d'après Carle Vernet, huile sur toile. - Musée Frédéric Masson (n° 1338).

386. DEUX CALEBASSES. L'une est ornée de la tête de Napoléon et des représentations d'Arcole et de Wagram, et l'autre, d'un portrait de Napoléon à cheval. - Musée Frédéric Masson (Nos 129 et 131).

387, NAPOLÉON À CALIFOURCHON sur une
388. chaise. Agrafes de métal. — Musée Frédéric Masson. (Nos 1365-1376).

388a NAPOLÉON TÊTE DE PIPE. — Collection particulière.

La pipe est de fabrication rhénane.

389. "MAXIMES ET PENSÉES DE NAPOLÉON" recueillies par J.-L. Gaudy jeune (et Balzac). — Paris, A. Barbier, 1838. In-8°, 191 p. — B.N., Impr., 8° Lb^{44}. 248.

"Depuis 7 ans environ, toutes les fois que le lisais un livre où il était question de Napoléon, et que je trouvais une pensée frappante et neuve dite par lui, je la mettais aussitôt sur un livre de cuisine... Il y en avait 500", écrit Balzac qui a vendu le tout à un ancien bonnetier, Gaudy.

390. "HISTOIRE DE NAPOLÉON", par Laurent de l'Ardèche, chez Dubochet, 1839. 500 vignettes d'Horace Vernet. — B.N., Impr.,

391. "HISTOIRE DE NAPOLÉON", par M. de Norvins, chez Furne, 1839. 350 vignettes de Raffet. — B.N., Impr., 4° Lb^{44}. 120.

391a NAPOLÉON III. Des Idées napoléoniennes, 1839. — B.N., Impr., 8° Lb^{51}. 290.

L'Empereur n'est plus, son esprit n'est pas mort : "L'idée napoléonienne n'est point une idée de guerre, mais une idée sociale, industrielle, commerciale, humanitaire..." La légende napoléonienne s'oriente vers la propagande. C'est, après Strasbourg (1836) le vrai début du Bonapartisme.

392. "HISTOIRE DE NAPOLÉON PAR NORVINS", vignette par Raffet, affiche d'une éd. chez François à Rouen, vers 1839. - B.N., Est., Dc 189, t. I.

L'affiche a servi au moins pour trois éditions différentes de l'ouvrage, la première datant de 1839.

393. "NAPOLÉON LE GRAND..." composé par Ald Berliner, professeur de calligraphie, chromolith. impr. J. Jundt, 1840. — B.N., Est., N^2.

LE RETOUR DES CENDRES 1840

394. "LA COLONNE ET LA STATUE. Français, dit-il, je suis content de vous [...] Mais j'attends une dernière preuve de votre amour. Ma cendre captive loin des doux rivages de la France réclame sous la base de cette colonne une tombe digne de moi [etc...]. Composition allégorique, avec Napoléon Ier, le duc de Reichstadt et le général Foy. Lithogr. de Tassaert, chez Ostervald, vers 1832, épr. coloriée. – B.N., Est., N².

Le Retour des Cendres a été demandé à la Chambre le 26 juin 1821 ; cette "pétition scandaleuse" n'a pas été retenue, bien que Lafayette s'y soit associé. D'autres efforts seront faits vers 1830.

395. NAPOLÉON ASSIS SUR LE ROCHER DE SAINTE-HÉLÈNE. Un peu plus haut, un grand aigle aux ailes éployées. Figurines en bois peint, petit diorama. – Musée Frédéric Masson (N° 1540).

396. JE DÉSIRE QUE MES CENDRES REPOSENT SUR LES BORDS DE LA SEINE...", gravure de Jazet d'après Horace Vernet, 1840. - B.N., Est., AA 5.

397. NAPOLÉON SUR UN ROCHER devant la mer sur laquelle vogue un vaisseau. Composition ornant un cadran de montre. - Musée Frédéric Masson. (N°ˢ 905-917).

398. TOMBEAU DE NAPOLÉON À SAINTE-HÉLÈNE avec un saule pleureur et des oiseaux de toute couleur. Sur la mer, à côté, arrive une frégate en verre filé. Un soldat monte la garde auprès d'une guérite. - Musée Frédéric Masson (N° 1265).

399. CADRES CONTENANT DES BRANCHES du saule et des cyprès plantés auprès du tombeau de Napoléon à Sainte-Hélène. Fragments des dalles du tombeau. - Musée Thiers ; (N° 89, don du Maréchal Bertrand à Thiers).

400. MONUMENT D'ÉBÈNE ET IVOIRE formant pendule. Au centre, le tombeau et le catafalque de Napoléon. Tout autour dans des niches, des maréchaux de l'Empire. Poniatowski, Lannes, Ney, et Duroc. Au fronton, Austerlitz (Rapp annonçant la victoire à Napoléon). A gauche et à droite les inscriptions : "Honneur et Patrie", au-dessous des trophées. - Musée Frédéric Masson (N° 1555).

401. "DERNIER BIVOUAC DES SOLDATS DE L'EMPIRE..." au pont de Neuilly, chez Veuve Turgis, Paris et Toulouse, 1840, - B.N., Est., Qb 1.

Les grognards survivants, en uniforme, avaient obtenu la permission de se grouper au pont de Neuilly pour veiller la nuit du 14 décembre 1840 le cercueil de l'Empereur arrivé par eau jusque là.

402. "TRANSLATION DES RESTES MORTELS..." "Je les reçois au nom de la France", 15 décembre 1840. Louis-Philippe et le duc de Joinville, chez Dubreuil, 1841. – B.N., Est., Qb 1.

403. LE RETOUR EN FRANCE. "Oh, va ! nous te ferons de belles funérailles... V. Hugo", lithogr. de Lemud, chez Rittner et Goupil, 1840. – B.N., Est., Qb 1.

404. DEUX COLONNES du "Retour des Cendres". Elles ont figuré aux Invalides autour du catafalque (1840). - Musée Frédéric Masson.

405. AIGLES de bois doré aux ailes déployées. — Musée Frédéric Masson (Nᵒˢ 1363, 1377).

406. LETTRE DE VICTOR HUGO à Thiers, 14 déc. 1840. - B.N., Mss., Papiers Thiers.

Le félicite du retour des cendres, "magnifique poème en action".

407. LE TOMBEAU DE NAPOLEON", par Garnier d'après Gérard, vers 1840. - B.N., Est., Dc 550, grand in-fol.

408. MAUSOLÉE DE L'EMPEREUR. Napoléon dans la chapelle Sᵗ-Jérôme aux Invalides. lithogr. par Arnout, 1840. — B.N., Est., Va.

409. TOMBEAU DE L'EMPEREUR, lithogr. par PH. Benoist, 1864, - B.N., Est., Va.

410. CE VIEUX PACHA D'EGYPTE ? En voilà un crâne français, il est Vieille Garde ! ! il meurt, et ne se rend pas. N° 2 des CROQUIS DÉDIÉS À BÉRANGER, chez Gihaut, 1840 [L.C. 967, état non décrit. — B.N., Est., Dc 102.

La Censure a interdit cette pièce le 10 septembre 1840, elle a autorisé la publication le 22.

411. "L'APOTHÉOSE... La Deificacion..." chez Bès et Dubreuil, 1841. — B.N., Est., Qb¹.

412. "TOUJOURS LA GLOIRE L'ACCOMPA-GNE", Napoléon sort de son tombeau à Sainte-Hélène, gravure anonyme, 1841. - B.N., Est., Qb1.

413. GRAVURE POUR UN BAROMÈTRE. Napoléon debout, en pied, en uniforme, avec le manteau et le petit chapeau. Son bras droit est destiné à indiquer les variations du temps. 1840. - B.N., Est., N2.

414. SCÈNES DE LA VIE DE NAPOLÉON, trois trumeaux peints sur bois, vers 1840 : "On ne passe pas" "Bivouac d'Austerlitz" et "Napoléon blessé à Ratisbonne". - Musée Frédéric Masson (Nᵒˢ 1396, 1419 et 1344).

414a. BONAPARTE ACCOUDÉ à une table portant des livres et une sphère. A côté de lui, un papyrus déroulé. Groupe en bronze. - Musée Frédéric Masson (N⁰ 1159).

415. NAPOLÉON DE BRIENNE au Retour des Cendres", impr. Villain, 1841. — B.N., Est., Q mat., Grand format.

416. "LES SENTIMENTS DE NAPOLÉON SUR LE CHRISTIANISME" par le Chevalier de Beauterne, 1841. 8e éd.. - B.N., Impr.,

Montre combien Napoléon a plu à la bourgeoisie catholique sous Louis-Philippe. En 1830, au contraire, certaines pièces de théâtre "conjuguaient le Bonapartisme et l'anticléricalisme, Napoléon et Voltaire" (Lucas-Dubreton, p. 288-89.)

417. "LES HUIT ÉPOQUES DE NAPOLÉON par un peintre d'histoire", gravé par Ch. Bouvier d'après Steuben, 1842. — B.N., Est., N².

L'auteur de cette image célèbre, Steuben (1788-1856), élève de Gérard et de Robert Lefèvre, a exposé entre 1831 et 1841 des tableaux sur la légende napoléonienne au Salon.

418. LE PETIT CHAPEAU DE NAPOLÉON ornant la tête d'une pipe d'ivoire et d'ambre. - A S.A.I. le prince Napoléon (N⁰ 1973).

419. LE "PETIT CHAPEAU", boite en ivoire. Le dos sculpté (demi-relief) représente Bonaparte sur un chameau devant les Pyramides. - A la Malmaison (Donation du Prince Georges de Grèce).

420. LE PETIT CHAPEAU. Reproduction en velours noir. — A S.A.I. le prince Napoléon (N° 3126).

421. PORTRAIT DE NAPOLÉON debout ornant une petite bourse en perles. - A S.A.I. le prince Napoléon (N⁰ 2518).

422. NAPOLÉON A MI-CORPS. Fixé sur verre dans un encadrement de filigranes d'or et de perles blanches. Portrait ornant le couvercle d'une petite boite carrée en carton et papier gaufré contenant un miroir. - A la Malmaison (Donation du Prince Georges de Grèce).

423. "1795" - BONAPARTE. Boîte ronde en bois peint et laqué, vers 1840. - A la Malmaison (Donation du prince Georges de Grèce).

424. NAPOLÉON DEBOUT SOUS UN PALMIER. Pendule de bronze vert foncé sur un socle décoré de motifs Empire. — Musée Frédéric Masson (N° 1558).

425. FONTAINE EN GRÈS, avec, en guise de bouchon, une statuette de Napoléon, debout, en uniforme, avec le petit chapeau, également en grès. — Musée Frédéric Masson. (N° 45).

425a "LE MAGISTRAT DU VERBE devant le Verbe". Lithographie de Tony Touillion, 1844. — B.N., Est., N3 (Napoléon 1er).

A propos de cette curieuse image (n° 234 de l'exposition Gérard de Nerval à la B.N.) et de la secte fondée par André Towianky (Napoléon nouvel envoyé du Verbe divin), voir l'article de Nerval, UNE LITHOGRAPHIE MYSTIQUE, dans L'ARTISTE du 28 Juillet 1844.

426. THIERS. HISTOIRE DU CONSULAT ET DE L'EMPIRE, Paris, Paulin et Lheureux, 1844 - 21 vol. - B.N., Impr., 8⁰ Lb43. 18.

*Paru en automne 1844. Sainte-Beuve l'annonce dans ses CHRONIQUES de Lausanne en octobre et en novembre, disant que Thiers va recevoir de l'éditeur la somme énorme de 500.000 francs.
Lorsqu'il écrit son livre, Thiers s'identifie avec Napoléon, l'imite. Tout le monde le remarque.*

426a LETTRE DE BALLANCHE À THIERS 1846. — B.N., Mss., Papiers Thiers.

Remercie au nom de Madame Récamier et "des amis qui partagent son intérêt et son admiration".

427. AFFICHE POUR LE *NAPOLÉON* de Marco St-Hilaire, 1845. Impression en style papier peint. — B.N., Est., N³.

428. "RÉCITS DE LA CAPTIVITÉ PAR MONTHOLON". Paris 1846. — B.N., Impr., 8° Lb⁴⁸. 1975.

Montholon, sincèrement dévoué à l'Empereur, diplomate et charmeur, mais "menteur", restera auprès de Napoléon jusqu'à la fin. Gonnard montre que son texte est pauvre après le départ de Las Cases. Il est écrit à partir de 1840.

DES 3 NAPOLÉON AUX 4 NAPOLÉONS

Après la Révolution de 1848, des thèmes comme la Résurrection de l'Aigle, le Retour des Aigles, la distribution des Aigles le 10 mai 1852 par le Prince Président, le rétablissement de la fête de St Napoléon le 15 août 1852, l'inauguration de statues de Napoléon aboutissent au plébicite de novembre et à la "proclamation de l'Empire par les Français reconnaissants." Napoléon III ensuite n'utilisera que peu la propagande impériale, il essaiera cependant de se concilier Béranger. Mais Béranger ne vota pas en 1848 pour Louis-Napoléon, ne fit rien pour favoriser son accession au pouvoir, il refusa une pension de l'Empire, disant qu'il n'était pas bonapartiste. L'Empereur lui fit cependant faire des obsèques nationales très officielles afin que le peuple parisien n'y participe pas.

429. "LE RÉVEIL DE NAPOLÉON". moulage en bronze de la première esquisse de cette statue commandée à Rude par le capitaine Noisot, ancien commandant des grenadiers de l'île d'Elbe, pour sa propriété de Fixin (Côte d'Or). — Musée de Dijon.

La statue fut inaugurée dans le parc de Fixin le 19 septembre 1847. Rude, qui avait toujours été partisan de Napoléon, avait collaboré, à ses débuts, à la décoration de la colonne Vendôme. S'étant porté au devant de Napoléon à son retour de l'île d'Elbe, il avait dû s'expatrier en 1815, au retour des Bourbons et était resté à Bruxelles jusqu'en 1827.

430. ÉPOQUES MÉMORABLES de la Révolution Française..., image de Pellerin, 1847. — B.N., Est., Li 59.

431. NAPOLÉON après l'abdication de 1814 d'après la peinture de Paul Delaroche. — B.N., Est., Qb[1].

Delaroche, passionné par Napoléon dont il se faisait la tête, avait même réuni dans son atelier, rue de la Tour des Dames, des souvenirs napoléoniens.

432. PRÉSENTATION par Michel Brunet de la chambre d'un grognard de l'Empire, réalisée grâce aux prêts d'un collectionneur.

A la fin du règne de Louis-Philippe vivaient encore d'anciens soldats ou sous-officiers de l'Empire, installés dans leur chambre transformée en coin de chambrée (un texte curieux montre même Planat de la Faye rassemblant dans une chambre spéciale, à Munich, ses souvenirs de l'Empire). Ils seront la providence des dessinateurs et collectionneurs de costumes militaires comme Meissonier, qui a bien connu l'un d'eux.

433. "POINT DE NOM ! ! ! ... Demandez à la terre..." Lamartine. Portrait calligraphique, par Hausseguy, 1848. — B.N., Est., N[3] Napoléon Ier.

434, DEUX CALENDRIERS POUR 1849, chez
435. Dembour et Gangel et chez Durand à Paris, avec portraits de la famille Bonaparte. — B.N., Est., Qb[1].

73

74

436. NAPOLÉON-PROMÉTHÉE, statue par Mathieu Meusnier pour le square Vintimille, 1850,. Gravure sur bois illustrant un article de L'ILLUSTRATION, juillet 1850. — B.N., Est., Va 283, tome 9.

Cette statue, élevée par les habitants du square, sera remplacée en 1886 par celle de Berlioz.

437. "LES TROIS NAPOLÉON". Pl. d'impression pour un éventail, bois et acier, vers 1852. — B.N., Est., Musée.

438. "SOUVENIRS ET ESPÉRANCE", chez Glémarec, 1852. — B.N., Est., N² Napoléon 1er.

438a VICTOR HUGO. LES CHÂTIMENTS, *ms., 1852.* — B.N., Mss., Nouv. Acq., Fr. 13.362.

439. LE PETIT CHAPEAU et deux coiffures militaires avec l'inscription "Tambour, chapelier de l'Empereur" ornant le couvercle d'une petite tabatière rectangulaire en bois, peinte et vernissée tout autour, époque Second Empire. - A la Malmaison (Donation du Prince Georges de Grèce).

440. LES AVEUX D'UN POÈTE, par Henri Heine, dans la *Revue des deux Mondes*, 15 sept. 1854. — B.N., Impr., Z. 21.418.

"C'est l'humanité qui a perdu la guerre à Waterloo"

441. "A LA REDINGOTE GRISE", célèbre magasin de nouveautés, 45, rue de Rivoli, affiche, chez Delas, imprimeur, vers 1855. — B.N., Est., Gr.S.n.r. Delas.

442. TROIS AMATEURS devant un carton de lithographies de Raffet, aquarelle de Daumier, vers 1860. — Musée du Louvre. Cabinet des Dessins.

Ancienne collection de Giacomelli, historien de Raffet ; — don Camondo au Musée du Louvre. Les amateurs admirent la Revue nocturne (notre n° 373).

443. NAPOLÉON VU PAR UN JAPONAIS : Kaigwai Zimbutsu syoden. Petites biographies de personnages d'Outre-mer, Bamporo, 1860. — B.N., Est., Dd 2952.

Dans le t. 1 de cet ouvrage japonais, on remarque une gravure représentant Napoléon Ier entouré du Pape, d'Elisa, princesse de Piombino, et d'Alexandre Ier, Empereur de Russie (sur la gauche de l'image) et, sur la droite, de François II, Empereur d'Allemagne, de Louis, roi de Hollande et de Joseph, "roi de Sicile" (de dos) et, dans le t. 3 une gravure représentant les funérailles de Napoléon (Retour des Cendres).

444. MANUSCRIT DES MISÉRABLES de Victor Hugo : Waterloo, 1861. — B.N., Mss.,

"Napoléon avait été dénoncé dans l'infini... Il gênait Dieu. Waterloo n'est pas une bataille, c'est un changement de front de l'univers". Victor Hugo note le 30 juin 1861 : "J'ai fini les MISÉRABLES sur le champ de Bataille de Waterloo, et dans le noir de Waterloo".

445. "LES 4 NAPOLÉONS" : Napoléon III, et le duc de Reichstadt entourant Napoléon Ier. Devant eux, le Prince Impérial. Au-dessus de ce groupe, une aigle aux ailes éployées tenant dans son bec une couronne de lauriers, descend en planant vers Napoléon III. Lithogr. de J. Didier, 1863. - B.N., Est., Gr. S. n. r.

446. "MARENGO, quadrille brillant... par F.B. Strauss, avec litho de Célestin Nanteuil, vers 1865. - B.N., K mat.

"CÉSAR, C'EST LA PATRIE" (JEAN AICARD) 1888 à 1900

Le réveil du nationalisme fera renaître la légende napoléonienne que nous suivrons jusqu'à l'Aiglon de Rostand (1900).

447. IMAGES DE L'ÉPOPÉE de Caran d'Ache, jouée au CHAT NOIR, 1888. — Musée de l'Armée.

Dès 1886, on voyait une première version intitulée "1807".

448. L'ÉPOPÉE de Caran d'Ache et son succès, réalisation de Michel Brunet.

449. FRÉDÉRIC MASSON Napoléon Bonaparte lieutenant d'artillerie..., Paris, Boussod et Valadon, 1889, Gr. in-4° 36 p. - B.N., Impr., Rés. Lb44. 1652.

Un des premiers articles de Frédéric Masson, paru dans les LETTRES ET LES ARTS. Masson, né en 1847, secrétaire du Prince Napoléon, va écrire notamment NAPOLEON ET SA FAMILLE (13 vol., 1897-1924) et constitue une collection d'objets dont on verra ici une petite partie.

450. "IÉNA. 1806". Gravure de Jules Jacquet d'après le tableau de Meissonier (1890). — B.N., Est., AA 6 (Jacquet).

"Iéna ! Friedland ! Quoi ! ces gloires sont nôtres ! Oui, l'Art fait éternel un instant glorieux. Patrie, Orgueil, Espoir, si vous manquez d'apôtres, Forcez-nous à lever sur cette œuvre nos yeux, et l'effort renaîtra dans notre âme abattue". écrivait Jean Aicard dans un "HOMMAGE A MEISSONIER", qui fut lu par Mounet-Sully à l'inauguration de la statue de Meissonier au Louvre le 15 octobre 1885. A partir de 1864, après avoir célébré Napoléon III, Meissonier expose au Salon des sujets napoléoniens.

451. "1807. FRIEDLAND". Gravure de Jules Jacquet publiée à Londres, chez Tooth & Sons en 1890, d'après l'aquarelle de Meissonier (1888), qui reproduit, avec des variantes, le tableau du Metropolitan Museum, à New York. — B.N., Est., AA 6 (Jacquet).

(Premier tableau éxécuté par le peintre pour le "Cycle Napoléonien" qu'il projetait de représenter en cinq épisodes le premier devant s'intituler "1796" et le dernier, le "Bellérophon"). "1807 : tout tourne autour de lui" [Napoléon], expliquait Meissonier ; "un flot d'hommes enivrés passe aux pieds de l'Empereur immobile [...] c'est l'apogée heureuse". La planche de Jacquet fut commencée en 1889, et, dès ce moment, "toutes les épreuves à 1300 frs furent souscrites" (Béraldi).

451a TAINE. Les origines de la France contemporaine — III. Le Régime moderne. 1. Napoléon Bonaparte, Paris, Hachette, 1891. — B.N., Impr., 8 La³¹ 14 (III, 1).

Napoléon est une réincarnation des condottiere italiens du XVᵉ siècle.

452. ARTHUR LÉVY, Napoléon intime, 1893. — B.N., Impr., 8° Lb⁴⁴. 1487.

François Coppée, dans le JOURNAL du 9 mars 1893, montre comment l'auteur a voulu dire que Taine avait eu tort en "représentant l'auteur du Code Civil et le vainqueur d'Austerlitz sous les traits d'un atroce et funeste tyran".

455. 1792-1809, AVENTURES DE GUERRE, souvenirs et récits de soldats recueillis et publiés par Frédéric Masson. - Paris, Boussod et Valadon, 1894. In-fol., XI-1639. - ill. en coul. par Myrbach. - B.N., Impr., Fol. Lh3. 310.

456. NAPOLÉON, affiche en couleurs de Toulouse-Lautrec, 1895. — B.N., Est., Dc 504.

Un concours d'affiches destinées à annoncer le NAPOLÉON de W. Milligan Sloane qui allait paraître à New-York fut ouvert à Paris. Lucien Métivet gagna le prix ; Lautrec, qui n'obtint rien, tira lui-même son affiche à 100 exemplaires pour ses amis.

457. "C'EST LUI ! ", CAMPAGNE DE FRANCE, 1814, photogravure d'après François Flameng, 1895. — B.N., Est., Q mat., Grand format.

458. GEORGES D'ESPARBÈS. Les demi-solde, roman épique, Paris, E. Flammarion, 1899, in-8°, 80 p. — B.N., Impr., 8° Y^2. 51.800.

459. HENRI WELSCHINGER. Le Roi de Rome. — Paris, Plon, 1897. — B.N., Impr., Lb^{47}.51.

Source essentielle de l'AIGLON de Rostand.

460. "LA LETTRE DE NAPOLÉON à Murat (Chapitre des Mémoires du Général Marbot", et "de Madrid à Moscou" par Caran d'Ache. Pl. de l'Album "C'est à prendre ou à laisser", 1898. — B.N., Est., Tf 162 a, in-4°.

453. GEORGES D'ESPARBÈS. La Légende de l'Aigle, poème épique illustré par Job. - Paris, 1843. In-18, 341 p. — B.N., Impr., 8° Y^2. 47539.

454. ILLUSTRÉ PAR JOB, Le Grand Napoléon des petits enfants, par J. de Marthold, Paris, Plon, 1893. - B.N., Impr., 4° Lb44. 1500.

Job (J.M.G. Onfroy de Bréville, 1858-1931) traite des sujets bonapartistes depuis 1878. LE GRAND NAPOLEON est son libre le plus célèbre celui qui a porté le plus ; cf. Roger Vailland, DRÔLE DE JEU : "Nous nous faisions penser à une image d'un grand livre illustré que j'ai eu comme prix d'excellence, au lycée en 5e... On voit Bonaparte dans une rue de Paris..., en train d'accoster une jeune fille qui l'engueule en rigolant".

461. DE MAX DANS LE ROI DE ROME de Pouvillon et Dartois, pastel de Charles Léandre, 1899. — Collection particulière.

"Après le vieux drame de Charles Desnoyers et Léon Beauvalet, que ressuscitait, au printemps dernier, le théâtre de la République, avant l'AIGLON, que nous prépare M. Rostand, et qu'incarnera peut-être un jour, en son théâtre de la place du Châtelet, Mme Sarah Bernhardt, on nous a donné, rue Blanche, le ROI DE ROME de M. Emile Pouvillon, déjà publié par Ollendorff et mis au point, en vue de la scène, par M. Armand d'Artois..." (article d'Edouard Stoullig) dans *LE NOUVEL ARTISTE, 1899, pp. 36-37.* Une caricature du même Léandre prêtait à De Max le mot suivant : *"Napoléon avait plus de gravité dans le profil mais moins de distinction que moi."*

462. SARAH BERNHARDT dans l'AIGLON, 1900, Photo. — B.N., Est., N.

Lors de la première représentation de L'AIGLON, le 15 mars 1900, le succès fut tel qu'il y eut vingt rappels.
"La pièce fut acclamée par un public enthousiaste qui soulignait les passages glorieux, trépignait à l'envoi des tirades... les joutes poétiques de l'Aiglon chatouillaient le cœur du monstre bien-aimé comme avec la pointe d'un fleuret". SARAH BERNHARDT MA GRAND-MÈRE, par Lysiane Bernhardt, p. 296.

463. NAPOLÉON. Jouet russe, en bois ; œuf peint à la figure de Napoléon, monté sur deux jambes reposant sur un socle rond, le tout coiffé d'un chapeau d'étoffe. - Musée Frédéric Masson (N° 1449).

464. NAPOLÉON SUR UN GRAND CHEVAL BLANC. Jouet de bois sculpté et peint (des modèles analogues ou voisins ont servi pour les jouets du Roi de Rome, dans la pièce de Rostand, lors de sa création). — Musée Frédéric Masson (N° 1451).

465. "L'EMPEREUR S'AMUSE, VIVE L'EMPEREUR". Trois feuilletons par Charles Laurent dans LE MATIN. Affiche de G. Starace, imprimerie Chaix (ateliers Chéret), 1901. — B.N., Est., Gr. S.n.r.

TABLE DES ILLUSTRATIONS

PHOTOS B.N. SAUF INDICATION CONTRAIRE.

TABLE DES MATIÈRES

DE BONAPARTE À NAPOLÉON - 1796-1815

LA LÉGENDE - 1815-1900

Achevé d'imprimer le 10 Juin 1969
sur les presses
de l'Imprimerie J. CIAVALD - QUATRE FEUILLES - PARIS.

DÉPÔT LÉGAL : 2ᵉ TRIMESTRE 1969